La Légende de LEZARDO DA VINCI

I

LA RENAISSANCE

ÉDITIONS
SYLVAIN
HARVEY

Édition : Sylvain Harvey
Révision linguistique et correction des épreuves : Sylvie Lallier
Relecture : Nathalie Bacon, Pierre Drolet
Illustrations : Jean-Nicolas Nadeau
Page couverture et mise en page : Moisan Marketing
Impression : Transcontinental

Première édition, 2011
© Éditions Sylvain Harvey

ISBN 978-2-923794-29-7 (papier)
ISBN 978-2-923794-30-3 (PDF)
ISBN 978-2-923794-31-0 (e-pub)

Imprimé au Canada

Dépôt légal – Bibliothèque et Archives nationales du Québec, 2011
Dépôt légal – Bibliothèque et Archives Canada, 2011

Éditions Sylvain Harvey
Téléphone : 418 692-1336 (région de Québec)
Sans frais : 1 800 476-2068 (Canada et États-Unis)
Courriel : info@editionssylvainharvey.com
Site Web : www.editionssylvainharvey.com

Distribution en librairie au Canada
Distribution Ulysse
Téléphone : 514 843-9882, poste 2232
Sans frais : 1 800 748-9171
Courriel : info@ulysse.ca

Nous remercions la Société de développement des entreprises culturelles du
Québec (SODEC) pour son aide à l'édition et à la promotion.

Gouvernement du Québec – Programme de crédit d'impôt pour
l'édition de livres – Gestion SODEC

Nous reconnaissons l'aide financière du gouvernement du Canada par l'entre-
mise du Programme d'aide au développement de l'industrie de l'édition
(PADIÉ) pour nos activités d'édition.

Merci à mes enfants Louis et Victoria. Ils sont une inspiration quotidienne pour moi.

Merci à la vie et à ses épreuves qui nous donnent le goût de nous retrouver seul pour écrire.

Merci à mes parents.

Merci au doute envers la science et la foi, sans quoi ce livre n'aurait jamais vu le jour.

Merci à Sylvain Harvey, éditeur, pour qui la foi en cet ouvrage l'a emporté sur le doute.

Merci à Burlington VT, Cleveland, Nashville, Cocoa Beach, Pine Point ME, New York, Washington, Richmond, la USA Highway 95 et Londres, tant d'endroits où ce livre a vu le jour, un paragraphe à la fois.

Merci particulièrement au Rira Pub de Burlington VT, au Pub Saint-Alexandre de Québec et... à la bière Newcastle !

Et merci à toi qui viens d'acheter ce livre...

Spes in fides, pacis in verum

À Louis et Victoria,
dont les insomnies ont rendu
un papa fort créatif...

PROLOGUE

L'HUMANITÉ POUVAIT-ELLE renaître totalement? La question prenait tout son sens depuis quelques décennies. Après la fin du Moyen Âge, toute l'Europe se mit à évoluer à un rythme impressionnant, tant par les structures sociales dont elle se dota que par sa quête pour tenter d'expliquer le pourquoi des choses ou, du moins, leur sens.

Les scientifiques remplaçaient maintenant l'intervention divine, la crainte des forces mystérieuses par des théories et des principes physiques explicables de façon plus rationnelle.

Mais était-ce vraiment la fin de la peur ou le début d'une nouvelle ère de doute, issue d'un déchirement entre la sécurité des vieilles croyances et les possibilités étourdissantes et inconnues offertes par ce nouveau monde de connaissances?

Chaque question apportait une réponse qui, à son tour, créait une toute nouvelle question. L'homme avait, sans le savoir, ouvert une véritable boîte de Pandore dont les insatiables questionnements s'avéreraient sans fin.

Une chose était certaine cependant : rien ne serait plus jamais comme avant.

La Renaissance touchait tant les milieux scientifiques qu'artistiques, au grand dam des défendeurs de dogmes… car pour ceux-ci les croyances signifiaient « pouvoir ». Un long combat entre le sacré et le savoir, entre ce que l'on pense savoir, ce que l'on sait vraiment et ce que l'on pourrait savoir venait de s'amorcer…

Cette évolution était planétaire. Tout connaître, tout conquérir et devenir de plus en plus grand sur la terre était le nouveau mot d'ordre. Pour la première fois, le Village global prenait forme.

Souvent, on explorait le Nouveau Monde sans aucun scrupule et on croyait tout lui donner. Qui aurait cru que ce dernier changerait le cours de l'histoire, engendrant une des plus étranges légendes jamais racontées…

I

LA NOIRCEUR D'UN COMPLOT

LA NUIT ÉTAIT plutôt fraîche et le vent soufflait sans répit, comme s'ils étaient tous deux calqués sur l'humeur de celui qu'Achille Vulturio, ambitieux cardinal, allait rencontrer. Quelques lanternes éclairaient les bâtiments d'une rare beauté. Peu importe le degré de misère affligeant le peuple, les appartements de Dieu n'en souffraient pas le moins du monde. Vulturio était en retard. Lors de sa lecture des psaumes il s'était assoupi, rêvant à sa mission, à son succès. Il avançait d'un pas rapide mais, à une dizaine de mètres de sa destination, il ralentit la cadence.

Il lui fallait faire preuve de la plus grande prudence avec ce mystérieux personnage qui l'accueillait en pleine nuit. Malgré ses sandales, le père Vulturio sentait la froideur du marbre italien sous ses pieds. Ses perceptions étaient exacerbées lorsqu'il était convoqué par l'éminence des éminences, le Grand Monarque de l'ombre, celui que personne ne connaissait mais que tous craignaient. C'était l'oracle des seigneurs de guerre, des conquérants et des dictateurs. Il logeait dans des quartiers lugubres du Vatican, dans les confins d'une tourelle aux cent marches. On le voyait surtout la nuit. En réalité, on ne le voyait jamais vraiment.

Des flammes vacillantes éclairaient la pièce. Une sombre et imposante cape de velours noir aux ornements rouge écarlate recouvrait l'énorme stature du Grand Monarque. Des grimoires, des appareils pour observer et mesurer le ciel étaient éparpillés sur des tables de travail inondées de papiers et de notes. On se serait cru chez un sorcier. Mais il ne pouvait en être un car son assistant, Nicolas, était le proche conseiller de Sa Sainteté Léon X ainsi que de son père, Laurent de Médicis, dit le Magnifique. Le pape connaissait-il son existence? songea très rapidement Achille Vulturio, de peur que le Monarque lise dans ses pensées.

Quelques années plus tôt, Jean, le futur souverain pontife, était devenu cardinal à cause de l'influence du Monarque et de Nicolas Machiavelli. Ce dernier bénéficiait donc du soutien et de la protection absolus du Saint-Siège. Le Vatican était un royaume influent et puissant, convoité par bien des clans et plusieurs tyrans.

Le Monarque se retourna à demi, laissant planer, comme toujours, un mystère impénétrable sur sa véritable identité. Vulturio distinguait une silhouette dans le clair-obscur du foyer qui ne brillait plus que par une intense braise. Toujours aussi terrifié, il se demanda en lui-même de quoi l'enfer était fait si on se trouvait confronté à ce genre de vision au Vatican.

D'un ton glacial et direct, le Monarque s'adressa à son visiteur.

– Vulturio, qu'avez-vous appris sur les scientifiques? Où se réunissent-ils?

– Ils se rencontrent à Venise, Grand Monarque.

– Je ne comprends pas. Le ciel me parle d'une menace venant d'outre-mer. Les astres ne se trompent jamais. Il faudra envoyer d'autres expéditions vers le Nouveau Monde. Nous devons empêcher ce péril d'arriver jusqu'ici. Malgré tout, gardez l'œil ouvert sur les allées et venues de ces hérétiques, pauvres hommes de science obnubilés par leurs théories… et qui ne mériteraient qu'un procès!

– Mais, Maître, pour les traduire en justice, nous devons avoir des preuves.

– Des preuves! Ne voyez-vous pas que cette société est devenue anarchique et libre de pensée? Nos ennemis appellent cela la Renaissance, Vulturio! Leur Renaissance, c'est notre mort! Un jour, ils bafoueront Dieu et croiront le dominer avec leurs connaissances! Je m'ennuie du temps où l'on pouvait brûler les gens pour sorcellerie sans véritable procès…

– C'était il y a fort longtemps, Maître.

– Vous savez, Vulturio, je suis bien plus âgé que vous ne le croyez, dit le Monarque en éclatant de rire. Des preuves, trouvez-en; dans le pire des cas, vous en inventerez. Une menace éradiquée sous de faux prétextes est tout de même une menace de moins. Et si vous ne réussissez pas à coincer les hérétiques… vous savez quoi faire. Pas plus d'une fiole diluée dans le vin. L'effet sera rapide et sans conséquence pour nous.

– Mais, Maître, il s'agit d'assassinats…

– Vulturio, ce n'est pas moi mais Dieu qui vous parle. Et que ce soit bien clair : Dieu a droit de vie ou de mort sur tous! Avez-vous perdu la foi? Je dois compter sur vous. Sinon, vous savez, personne n'est irremplaçable… Et quand la colère de Dieu se manifeste à l'endroit d'un homme, c'est souvent tout le sang de celui-ci qui subit ses foudres. Pensez à votre mère et à votre sœur. Devraient-elles payer pour votre infidélité? Quelle injustice ce serait!

– Là où la foi règne, le doute ne subsiste pas, Maître! répondit Vulturio, effrayé. Vous pouvez compter sur moi.

– C'est ce que je voulais entendre, mon cher, dit le Monarque. Filez! ordonna-t-il ensuite, l'index pointant vers la porte.

Vulturio distingua sur le doigt du Maître une étrange bague noire en forme de serpent avec deux cristaux rouges en guise d'yeux. Le bijou renforçait le côté déjà fort menaçant du personnage.

Le visiteur quitta promptement les lieux. Il descendit les cent marches d'un pas décidé, galvanisé dans son corps et dans son esprit. Même si les paroles et la rhétorique du Monarque avaient l'effet d'un envoûtant sortilège sur lui, l'armure idéologique du cardinal commençait à se fissurer.

« Ne laisse pas le doute s'emparer de toi, Achille Vulturio! Le Monarque t'a choisi parmi tous les prélats de Rome. N'est-ce pas là un signe de ton intelligence et de ta loyauté? Tu ne peux douter », se répéta-t-il plusieurs fois.

Montant à bord de sa diligence, le cardinal indiqua au cocher de se rendre à Venise au plus tôt. L'homme au regard livide acquiesça d'un hochement de tête. C'était le chauffeur attitré du Monarque; l'homme travaillait principalement la nuit. Les poches sous les yeux de celui-ci étaient immenses et lourdes. L'apparence du cocher avait toujours suscité la crainte chez Vulturio. Qu'est-ce qui était le plus inquiétant : sa pâleur ou sa maigreur? L'individu était effrayant de toute façon et ses chevaux le redoutaient plus que tout : un seul coup de fouet et ils se mirent aussitôt en marche. Le tintamarre de leurs sabots sonnait comme une cavalerie qui, de toutes ses forces, traversant les bois et les vallées, allait sauver le monde de cette perfide Renaissance.

Pendant ce temps, le Grand Monarque relisait sans cesse cette prophétie venue des astres : *D'outre-mer arrivera le malheur. Enfant né de la foudre, dont la peau noire résistera à l'épée. Il portera en lui la bête et le savoir de l'humanité. Il terrassera le sombre temple le sixième mois, à la sixième heure, le jour de l'équinoxe.* Le Monarque trouverait. Il parvenait toujours à ses fins! Qu'à cela ne tienne, le jour se levait et il avait fort à faire…

II

LE LEGS

C'ÉTAIT UNE SOIRÉE noire et pluvieuse, comme toutes les soirées depuis que Leonardo Da Vinci s'était terré seul dans ses appartements voilà trois semaines. Le Maestro souffrait d'un mal étrange depuis son retour de Venise. Il s'était bien gardé d'en parler à qui que ce soit. L'étranger du Nouveau Monde lui avait-il jeté un sort ou bien transmis un mal quelconque? Il l'ignorait, mais ce qui l'avait frappé après cette rencontre ne lui laissait aucun répit.

Leonardo n'était plus le même depuis ce voyage. Ses proches se questionnaient sur son confinement presque permanent dans ses quartiers.

La joie avait quitté le château d'Amboise, le lieu qu'il aimait tant. La campagne française détonnait totalement avec l'animation de Florence, de Rome et de Venise. Du balcon de sa chambre, Leonardo faisait le vide et contemplait les collines dans toute leur splendeur. Le roi de France lui avait offert de vivre dans ce luxueux palais tout à fait gratuitement. En retour, Leonardo lui faisait la conversation en échangeant sur tous les sujets dont le souverain avait envie de parler. L'un élevait – ou du moins, avait l'impression – d'élever son esprit tandis que l'autre obtenait une certaine tranquillité d'esprit. Cet échange de bons procédés convenait parfaitement aux deux hommes. Et quoi de mieux qu'Amboise comme arène pour des joutes oratoires. De la paix et des mots, et rien d'autre!

Ce paradis terrestre, aire de repos bien méritée, avait fait place à une sombre prison, qui contraignait Leonardo à réciter sans arrêt des pans de son existence, comme s'il racontait sa vie à quelqu'un. Sa santé était de plus en plus vacillante et il savait que ses jours étaient comptés. Il ne mangeait presque plus. Toutes ses études et ses croquis sur le corps humain étaient inutiles. Il n'avait jamais eu la chance ni le temps d'illustrer ou de s'intéresser aux remèdes. La seule chose qu'il comprenait mais qu'il acceptait, c'était l'inévitable trépas qui le guettait, tel un aigle ayant repéré sa proie et qui attend le moment opportun pour s'en emparer.

La main tremblotante et la respiration saccadée, il continuait à réciter inlassablement ses expériences et ses théories. L'urgence le poussait à dresser le bilan, à transmettre ses connaissances… « Mais à quoi bon s'isoler ainsi? » se demandaient ses serviteurs. Leonardo Da Vinci avait l'habitude de dire que la solitude n'est qu'une perception car son imagination avait été sa fidèle compagne durant toutes ces années. Elle avait pris le visage de Mona Lisa. Une beauté mystérieuse et souriante, un être inatteignable mais omniprésent dans son esprit.

Des milliers de croquis et de plans jonchaient ses étagères et sa table. Dessinées à la sanguine – un médium rouge orangé –, les illustrations traduisaient une passion volcanique qui arrivait pourtant à peine à réchauffer le maître. Toutes ces œuvres provenaient d'un seul désir : en apprendre toujours plus…

« L'humanité doit poursuivre son évolution. L'ignorance donne naissance à une peur aussi terrifiante qu'insensée. Nous devons nous battre car le savoir est notre seule issue, notre liberté », lança Leonardo d'un ton ferme et décidé.

Telles furent les dernières paroles prononcées par Leonardo Da Vinci. Le lendemain matin, il fut retrouvé sans vie, gisant sur le sol. La Renaissance venait de perdre son phare. Les milliers de possibilités nées de ce courant de pensée venaient de perdre leur patriarche.

Mais que s'était-il passé à Venise? Qui était donc ce mystérieux étranger?

III

DJIANGORATA

CONFORTABLEMENT ASSIS SUR le sable fin d'une plage qui s'étendait à perte de vue, Djiangorata était estomaqué par sa dernière expérience.

– Ciel! s'écria-t-il. J'entends ma voix!

Le calme des tropiques de l'Amérique centrale s'était soudain animé. Le cornet orné de quartz grâce auquel Djiangorata entendait les cris des baleines au loin venait de lui permettre d'entendre sa propre voix. Par pur hasard, l'homme venait d'inventer une sorte de magnétophone grâce à un œuf gris-bleu. C'est avec une incrédulité totale qu'il tendait l'oreille. S'il y avait quelque chose à entendre, y avait-il aussi quelque chose à voir? Heureusement que le scientifique vivait en reclus; cela l'empêchait de passer pour un hurluberlu.

Natif du Mexique, ce chercheur autodidacte de petite taille comptait plusieurs exploits à son actif. Il avait réussi à emmagasiner l'énergie du soleil dans des cristaux qui servaient de lampes le soir venu ou bien de source de chaleur qui pouvait réchauffer une seule pièce en hiver pendant toute une nuit. Cette surprenante découverte lui avait d'ailleurs valu d'être condamné à mort chez les Mayas qui l'avaient accusé d'hérésie et de sorcellerie pour avoir osé emprisonner le soleil, le Dieu ultime.

Djiangorata s'était sauvé vers le sud, suivant une caravane de nomades dans la jungle, et avait fini par s'établir sur les rives de l'Atlantique, à San Salvador plus précisément. Il avait appris l'espagnol avec de grands hommes blancs, des étrangers venus d'ailleurs. C'était un dialecte et une tribu dont les origines avaient racine de l'autre côté de l'océan. Le chercheur avait toujours cru que le monde civilisé s'arrêtait au bout de l'horizon…

Les étoiles, le soleil et la lune brillaient donc pour d'autres peuples!

Djiangorata vivait dans une hutte bordant un récif de corail immense d'où il pouvait mener ses expériences à l'abri des regards, des jugements et des menaces extérieures tout en échangeant avec ces mystérieux Espagnols qui lui racontaient le monde moderne qu'était l'Europe. Ils riaient de son côté scientifique, le qualifiant plutôt de sorcier un peu déjanté. Pour Djiangorata, ces moqueries étaient inoffensives car elles ne mettraient aucunement en péril sa liberté de penser et d'agir.

Un beau matin, dans le cadre de ses recherches sur les reptiles, il découvrit qu'en faisant couver un œuf de tortue par un serpent, la tortue naissante avait la carapace toute tachetée, des crocs redoutables et crachait un venin qui n'avait rien à envier à son compagnon d'incubation. Il comprit que l'œuf était réceptif à son environnement extérieur au point que l'évolution de son contenu en était modifiée.

Il fit une autre expérience. Il exposa toute une couvée aux mêmes métaux qui servaient à la fabrication d'une boussole, se disant que ces tortues spéciales auraient un sens de l'orientation hors du commun. Quelle ne fut pas sa surprise de voir que les bébés tortues étaient devenus de vrais aimants, attirant tous les métaux sur leur chemin!

« Grâce à elles, je trouverai des gisements de métaux sous terre, comme le sourcier avec son bâton », se dit le scientifique, emballé par ce résultat stupéfiant. Ne sachant que faire d'un petit œuf tombé d'un nid, il le laissa sur une table installée à l'extérieur qui donnait sur le vaste océan. Écoutant les cris des dauphins et des baleines grâce à son cornet d'or tapissé de quartz qui avait pour propriété d'amplifier des sons inaudibles à l'oreille humaine, il fut surpris d'entendre une autre trame, d'autres vagues et… sa propre voix. Plus il se rapprochait de l'œuf, plus le son était puissant. Djiangorata était abasourdi!

Il venait de découvrir que l'œuf était perméable à son environnement extérieur, quelle que soit sa nature. Il pouvait enregistrer et relire l'information grâce aux pouvoirs de décodage des cristaux. Développer de nouveaux outils et multiplier les expériences représentaient une véritable passion pour Djiangorata.

Il s'était donc confectionné une étrange lunette : deux cylindres d'or dont un possédait à son extrémité une lentille – un quartz lisse et clair comme le verre – tandis que l'autre était tapissé de petits cristaux à l'intérieur. Le premier tube servait à observer et le deuxième permettait d'entendre. Djiangorata était fasciné par la séquence des événements qui se déroulait devant lui. Ses propres marmonnements, la vue de la mer... tout ça possible en ne regardant qu'un petit œuf. C'était époustouflant! Et en plus, le point de vue et les sons changeaient selon l'endroit où il se trouvait par rapport à l'œuf. Ce dernier captait l'information tout autour de lui, même s'il n'avait pas d'yeux ou d'oreilles. Toutes les vibrations et la lumière à proximité étaient emmagasinées dans sa courte mémoire. Le chercheur fut d'ailleurs passablement surpris de se voir pendant qu'il marchait. Il trouva curieux de pouvoir s'observer de la tête aux pieds, lui qui n'avait qu'une toute petite glace, offerte par les Espagnols.

Il avait réussi à emmagasiner toute une journée d'images et de sons dans un seul œuf de colibri. Conscient du potentiel de son expérience, il ne pouvait s'empêcher de penser aux applications infinies d'une telle révélation.

– J'ai besoin de plus grand et de plus d'œufs! s'exclama-t-il.

Finies ces traditions orales où la subjectivité de l'informateur tronquait dangereusement les faits et la vérité. Il se voyait déjà commercer avec tous les villages. Il ferait des affaires d'or avec cet œuf pouvant conserver le souvenir d'une naissance ou les derniers instants de vie des êtres aimés, par exemple. Il appela son invention « Medzia ».

« Peut-être serai-je réhabilité par ma tribu », songea-t-il, nostalgique et peiné.

Tout excité, il voulut poursuivre le lendemain l'expérience avec sa lunette. Mais quelle ne fut pas sa surprise de voir une maman oiseau protégeant la sphère ovale qui venait... d'éclore! Quand il regarda l'oisillon, rien ne se passa.

Le scientifique concocta donc une gelée composée d'algues et d'œuf battu. Une fois appliquée sur l'œuf, cette mixture conserverait celui-ci en état de gestation perpétuelle, ce qui le mettrait à l'abri des fluctuations de température. Car ce n'était que lorsque la vie habitait l'ovale que l'information pouvait être enregistrée et lue. À une température précise, la vie subsistait mais sans plus. Ainsi, la gelée, appliquée chaque mois, assurerait la pérennité du Medzia.

Djiangorata se dit alors que plus l'œuf serait gros, plus les résultats seraient impressionnants. Il décida donc d'aller chercher un œuf de lézard géant, une espèce de dragon de Komodo. La bête avait un demi-mètre de haut. La capacité de stockage d'un œuf de cette espèce pourrait contenir une vie entière.

L'ambition lui donna le courage qu'il fallait pour approcher la tanière de ces monstrueuses bestioles de trois mètres de long qui pouvaient tuer un humain d'un seul coup de queue. Il dut distraire la mère de la portée en lançant au loin un poulet. L'immense reptile n'avait jamais vu ni senti pareille proie de toute sa vie. L'odeur de cette chair fraîche et sans défense était irrésistible pour la femelle. Elle n'avait qu'à s'éloigner d'une dizaine de mètres de son nid pour obtenir les fruits d'une chasse qui aurait dû être plus ardue. Mais derrière la facilité se cache bien souvent un piège. À peine s'était-elle éloignée de son repère que le téméraire chercheur s'empara d'un œuf et prit ses jambes à son cou. Le lézard hurla de détresse mais ne pouvait se lancer à la poursuite du voleur, car cela risquait de mettre en péril les trois autres petits de sa couvée.

Djiangorata courait tout en serrant l'œuf comme s'il avait toujours été sien, comme si celui-ci changerait sa vie à tout jamais. L'œuf était encombrant et le scientifique craignait que la coquille se brise. Heureusement, la gelée appliquée sur cette dernière agirait comme un vernis durcissant. Encore quelques centaines de mètres et Djiangorata retrouverait la quiétude de son chez-soi. Il avait pris soin de couvrir l'œuf d'une étoffe épaisse et noire, car il croyait qu'à l'obscurité, celui-ci n'emmagasinerait pas d'informations inutiles.

À son retour au village, Djiangorata apprit d'un jeune pêcheur que les Mayas savaient maintenant où il se trouvait et qu'ils n'étaient plus qu'à deux jours de marche de son repère, à l'extrémité sud du minuscule village qui l'avait accueilli lors de son exode.

– Ça ne finira donc jamais? cria de désespoir celui qui, jadis, avait hypothéqué sa vie pour avoir emprisonné le soleil.

Rester sur place équivalait à une mort certaine. On ne badinait pas avec les Mayas dont le chef, Zanguitza, était d'une force incroyable mais d'une intelligence plutôt faible. Il avait le même âge que Djiangorata, son éternel rival de jeunesse. Le père de Zanguitza, Rhaliz, portait énormément d'intérêt au chétif Djiangorata. Il était impressionné par l'intelligence et le courage de cet orphelin dont les parents étaient morts à la suite d'une terrible tempête. Rhaliz fit même de Djiangorata, à la majorité du garçon, un de ses proches conseillers, laissant dans l'ombre son propre fils Zanguitza dont la tâche consistait à s'occuper de la défense de la cité. Soucieux de faire évoluer sa tribu, le patriarche avait encouragé Djiangorata à poursuivre ses recherches. Le jeune scientifique en herbe avait donc réussi à emprisonner l'énergie émise par le soleil. Chaleur et lumière étaient désormais accessibles jour et nuit.

C'en fut trop pour Zanguitza qui considérait l'invention de Djiangorata comme un véritable blasphème. On ne pouvait emprisonner Dieu, et seule la mort du responsable de ce méfait empêcherait la colère dévastatrice du Créateur. Le père de Zanguitza avait aidé Djiangorata à prendre la fuite au prix de sa propre vie, car il tomba sous l'épée de son fils. Ce dernier, pour qui il était impossible de tolérer l'affront de Djiangorata, avait vu là une excellente occasion de prendre la tête de la cité.

Et si tuer son propre père pour trahison ne semblait pas avoir ébranlé le rustre guerrier, c'est assurément avec facilité et indifférence qu'il enverrait Djiangorata au royaume des morts.

Depuis ce jour-là, le scientifique était en cavale. Son répit était maintenant chose du passé. Djiangorata devait fuir très loin cette fois. Prendre le large semblait l'ultime solution, étant donné que maintenant, il savait qu'il y avait un monde de l'autre côté.

Il prit soin d'aviser les habitants du village de la menace qui pesait sur eux. Les plus brillants plièrent bagage; les autres ignorèrent l'avertissement.

Après avoir remercié le jeune homme qui l'avait averti, le chercheur lui offrit de l'or en échange de son embarcation. Une fois le marché conclu, Djiangorata prit ses effets personnels, parmi lesquels se trouvaient son précieux œuf et sa lunette-cornet, et installa une plaque de fer martelé au fond du bateau. Il leva l'ancre... avec ses tortues magnétiques. Aussitôt jetées à l'eau, elles tirèrent l'embarcation avec une force presque incroyable.

Impuissant, Djiangorata assista à l'arrivée des Mayas qui détruisirent tout sur leur passage.

Alors qu'il était déjà à 700 mètres de la rive, il vit flamber sa maison et le village entier. Djiangorata maudit sa propre personne et se demanda si Dieu n'avait pas voulu le punir en lui laissant la vie sauve. Il vivrait désormais avec le remords d'avoir été responsable de la destruction de ceux qui l'avaient accueilli et sauvé.

Ayant deviné l'identité de l'occupant de l'embarcation au loin, Zanguitza hurla :

– Si tu reviens, tu mourras! Si tu continues, tu frapperas l'horizon avec son néant et son absence totale de vie et tu trépasseras. Je suis enfin vengé! Le dieu Soleil t'a puni!

Une fois Djiangorata hors de vue, le belliqueux chef fut convaincu que son rival avait été avalé par les confins de l'univers… S'il avait su! Sa joie fut cependant de courte durée car, appelés en renfort par des villageois rescapés, les Espagnols se montrèrent sans pitié pour les Mayas. Ils ouvrirent le feu sur eux et les exterminèrent jusqu'au dernier.

Djiangorata avait bien connu les Espagnols lors de son exil. Menés par Christophe Colomb, ces conquistadors lui avaient appris leur dialecte et montré des livres et des cartes de navigation. Le scientifique avait été fasciné par les illustrations et plus particulièrement par celle de la cité de Venise. Un des marins lui avait même dessiné une carte du trajet accompli par les siens. Djiangorata se disait qu'un jour, il ferait lui aussi la grande traversée.

Ce jour était arrivé. Cependant, son embarcation n'avait rien à voir avec la flotte de navires qu'il avait vue arriver d'Espagne.

IV

TRAVERSER L'ONDE

LA VOILE ÉTAIT presque inutile, car l'attraction magnétique propulsait l'embarcation de Djiangorata à la vitesse vertigineuse prise par les 30 tortues. Ces dernières, toutes joyeuses d'avoir enfin pris le large, nageaient avec une grande énergie.

Bénéficiant de la vélocité de certains courants marins, le bateau parcourait l'océan à une vitesse remarquable, même si des mètres d'eau salée séparaient pourtant les chéloniens de l'embarcation.

Mais une traversée houleuse et fort dangereuse attendait Djiangorata. Des requins affamés suivaient le bateau, attirés par ce curieux poisson de bois. De plus, l'embarcation essuyait constamment d'immenses vagues.

– Dieu, qui que tu sois et d'où que tu viennes, je te confie ma destinée, murmura le scientifique après avoir essuyé une autre giclée d'eau salée.

Il ne regrettait pas d'avoir pensé à apporter une immense gourde d'eau potable. Mais celle-ci n'allait cependant pas durer éternellement.

Djiangorata découvrit avec surprise que l'eau de pluie en mer n'était pas salée et donc buvable, contrairement à la croyance populaire. Mais cette fable s'était avérée une bonne façon pour les adultes de garder les jeunes téméraires loin du large. En plus d'être avalés par l'horizon, ils mourraient aussi de soif! La légende avait gardé le village intact, protégeant les jeunes des malheurs causés par les flots bleus… Il s'agissait d'une tactique visant à semer la peur pour récolter le pouvoir, pensa Djiangorata, affamé, qui vit enfin des rives se profiler au loin, semblables à un sauveur qui ouvre ses bras.

– Terre! Terre! cria-t-il, ne sachant trop qui, de Dieu ou du hasard, il devait remercier.

Tout comme sur la carte qu'il avait conservée précieusement, la porte de Gibraltar s'ouvrait en offrant la Méditerranée comme récompense au voyageur. L'Italie se trouvait droit devant. Soudain, les tortues se dispersèrent, laissant Djiangorata à lui-même. Était-ce à cause de la fatigue ou parce qu'elles étaient attirées par d'autres métaux? Le scientifique ne le sut jamais, mais il les remercia du fond du cœur. Il déploya la voile du bateau et accosta sur la rive la moins escarpée.

V

JETER L'ANCRE

CROYANT S'ARRÊTER EN Espagne, Djiangorata venait plutôt de mettre les pieds au Maroc. Les riverains furent médusés en voyant ce petit homme au teint basané et aux yeux en forme d'amande qui baragouinait l'espagnol et portait des étoffes écarlates ainsi que de nombreux bijoux dorés. Ils le surnommèrent sur-le-champ « l'insolation venue de la mer », croyant voir en lui un mirage, un être irréel. Djiangorata leur sourit avant de s'écrouler, au bord de l'épuisement. Jalal, un jeune pêcheur, décida de prendre soin du visiteur. Il amarra le bateau de l'inconnu au quai familial. Il ne remarqua pas la poche de cuir qui contenait le précieux œuf et qui se trouvait submergée à l'extérieur de l'embarcation.

Plusieurs heures passèrent. Djiangorata fut finalement réveillé par un drôle de bruit. Un chant étrange, presque une incantation magique, mais qui le berçait et le rassurait. Quand il ouvrit les yeux, il admira la beauté des incrustations dorées et bleutées qui ornaient le plafond de la petite pièce où il se trouvait. Son sauveur était accroupi au sol, prosterné devant... un mur! Le scientifique s'inquiéta, convaincu que la traversée avait déplacé quelque chose dans sa tête. Il vit une porte qui donnait sur une grande salle, dans laquelle une centaine d'hommes étaient prosternés. Telle une chorégraphie parfaitement orchestrée, il les vit se lever en même temps et fraterniser.

Jalal se retourna vers son invité en riant.

– Ne t'en fais pas, mon frère. Nous sommes musulmans et c'est notre prière. Tu es dans une mosquée et je suis le fils de l'imam dit-il, dans un espagnol presque parfait, les Marocains du littoral commerçant sans cesse avec les habitants de la Costa Del Sol.

Djiangorata rit, savourant cette nouvelle amitié toute jeune et combien rafraîchissante. « Est-ce la mer qui rend les riverains si accueillants? » se demanda-t-il.

Djiangorata fut reçu avec gentillesse. Il but du thé, goûta aux fameuses épices de ses hôtes. Il fut renversé à la vue des animaux à bosses appelés chameaux.

Quand il rencontra des marchands espagnols, il leur montra sa carte. « Venise! Venise! » leur dit-il. Les hommes lui indiquèrent le trajet à suivre. Djiangorata décida aussitôt de se mettre en quête de cette ville dont il rêvait depuis qu'il en avait vu l'illustration dans un livre. Il salua chaleureusement

Jalal et les villageois en leur promettant de revenir un jour. La gentillesse des Marocains l'avait grandement touché et il avait été fasciné de constater qu'on vénérait un autre dieu sur ce continent. Ce dieu n'était pas un astre mais prenait forme humaine à travers ses prophètes.

On lui parla des croisades, du dieu des Blancs et de tout le sang versé pour celui-ci.

Mais comment les Blancs et les Arabes pouvaient-ils se battre si leur dieu était le même? Les uns vénéraient la croix et les autres, un croissant de lune… Ne sachant pas s'il devait aborder le sujet, Djiangorata eut cette pensée : « L'important, ce n'est pas la différence entre les arbres d'une forêt mais bien que la forêt soit source de vie et qu'elle grandisse à l'unisson dans la beauté de sa diversité. Mais ce qui compte par-dessus tout, c'est qu'elle possède un privilège unique : celui d'exister. »

L'air marin eut tôt fait d'effacer de sa tête cette incompréhension. Il se fit une raison en se disant que peu importe son évolution, une société raisonnera toujours comme un enfant face aux mystères non encore élucidés de la vie.

Djiangorata reprit la mer. La Méditerranée était plus accueillante que l'Atlantique. Ses flots montaient moins haut, ce qui permit à Djiangorata d'admirer le formidable panorama. La ville qui avançait dans la mer se trouvait dans un pays ayant la forme d'une botte. Un vieux Marocain lui avait raconté que les vestiges du trépas d'un géant avaient donné naissance à ce continent. Lorsqu'un certain David avait vaincu d'un coup de fronde le terrible Goliath, mettant fin au règne des géants, ces derniers avaient été avalés par la terre et changés en pierre pour l'éternité…

Djiangorata avait pris un air étonné pour ne pas contrarier l'aïeul, mais quel géant aurait pu avoir un tel pied? Regardant l'horizon, il se questionnait. Que ferait-il en Italie? Où irait-il? Son émerveillement prenait cependant le dessus sur ses inquiétudes, lui pour qui le connu semblait bien plus source d'angoisse que l'inconnu. La soif de savoir dominait sa vie. Vivre de découvertes et d'eau fraîche plutôt salée, pourquoi pas!

Il avait laissé l'œuf dans le sac attaché sous le bateau. Il espérait que le développement de l'œuf, inondé d'eau glacée et couvert de gelée, serait ainsi retardé. Sans le savoir, le scientifique explorait les fondements de la cryogénie.

Après plusieurs jours, Djiangorata commença à en avoir marre de manger des figues et des noix. Il ne lui restait presque plus d'eau, et il avait appris que, dans la Méditerranée, la beauté du paysage avait un prix : l'absence de pluie! De plus, il s'ennuyait de ses tortues et de leur rapidité.

Remontant vers le nord, il aperçut enfin la ville qui s'avançait dans la mer. « Venise! Venise! » s'écria-t-il. Quand il foula la terre, il ressentit une joie immense. Et il fut très heureux de constater que le livre n'avait pas menti.

VI

FESTINA LENTE

(Tout vient à point à qui sait attendre)

CELA FAISAIT TROIS semaines que Vulturio se trouvait à Venise. Il commençait à douter des informations qu'il avait obtenues sur la présence d'hérétiques dans la ville. Il avait réussi à se faire embaucher comme homme à tout faire dans cette fameuse auberge où, supposément, des scientifiques de partout sur le continent se réunissaient secrètement, bien à l'abri des inquisiteurs du Saint-Siège. L'endroit était rempli de crucifix et d'icônes religieuses.

Le principal talent de Vulturio n'étant pas de laver les planchers, il était souvent l'objet de commentaires désobligeants de la part de son patron, Paulo Santinio, le propriétaire de l'auberge. Celui-ci, un homme au gabarit imposant et à la panse surdimensionnée, n'avait rien de discret ni de raffiné.

– Dépêche-toi, vieux roturier! s'exclama-t-il. Si ce n'était pas de ton air si pauvre et blême, je te donnerais congé! Mais puisque tu sembles être une brebis égarée, je n'hésiterai pas à ralentir tout le troupeau pour te ramener dans le droit chemin… Amen! conclut-il en se signant de la croix.

– Il y a tout de même des limites à jouer l'ignare! maugréa tout bas Vulturio tout en récurant le marbre de l'auberge.

Exceptionnellement, ce matin-là, plusieurs messagers visitèrent Paulo qui semblait fébrile et joyeux. Les cuisinières affairées avaient fait provision de vin et de victuailles, de quoi combler une dizaine d'invités.

– Vous pourrez prendre congé, mon brave, lorsque vous aurez fini de récurer les dix chambres de l'auberge, lança le patron à Vulturio.

« Ça y est! C'est aujourd'hui que je dois agir! » pensa le cardinal-concierge qui ne pouvait plus supporter ses haillons et sa barbe qui lui permettaient cependant de passer incognito, ce qui était particulièrement difficile en temps normal pour un cardinal.

Vulturio se demandait comment il réussirait à amasser des preuves contre les scientifiques. Il décida de passer au plan B. De toute façon, l'Inquisition ne réserverait-elle pas le même sort à ces hérétiques au terme d'un procès? Et si le peuple se révoltait? Mais l'assassinat était devenu la seule option.

En faisant les lits de toutes les chambres il réfléchit au divin sacrifice qu'il s'apprêtait à accomplir. Vulturio descendit à la cuisine. Profitant de l'absence de la maîtresse des lieux, il vida le contenu de la fiole remplie d'un poison d'une redoutable efficacité dans l'une des carafes de vin. Très bientôt, les hérétiques mourraient! En plus d'impressionner son protecteur, il prendrait une sérieuse avance sur ses concurrents pour la succession de Léon X, advenant la mort de celui-ci. L'attrait du pouvoir aveuglait totalement Vulturio, qui ignorait que l'actuel pontife et lui servaient de marionnettes au Monarque et à Nicolas Machiavelli, son homme de main.

****

Des jeunes hommes appuyés contre le mur d'une maison reluquaient la magnifique femme qui, son panier sous le bras, revenait du marché. Une pluie de paroles romantiques furent lancées par les charmeurs à la tignasse noire. « *Sei così bella, angelo dal cielo. Dov'è tuo padre gli ho chiesto di sposarti?* »*

« Quelle belle langue! » se dit Djiangorata en entendant ces Italiens.

En se promenant dans les rues de Venise, il avait remarqué que la langue italienne, plus raffinée que l'espagnol, paraissait emplie de poésie et de romantisme. Lui qui baragouinait le dialecte de Christophe Colomb voyait tout de même des similitudes entre les deux langues. Mais il était tombé sous le charme de la phonétique de cette prose. Quels sons magnifiques! D'une beauté inexplicable. À quoi bon tenter de l'expliquer? La beauté des choses est souvent la seule revanche que le corps a sur l'esprit car celui-ci ne peut élucider l'heureux désarroi qu'elle lui cause.

* *«Tu es si belle, ange du ciel. Où est ton père que je lui demande ta main?»*

Djiangorata n'avait jamais vu autant de gens si affairés. Il fut également surpris de voir comme les touristes étaient nombreux à Venise. Lui-même était cependant le plus voyant de tous avec ses étoffes écarlates et ses ornements dorés. Partout où il passait, la belle Venise n'était plus l'attraction principale. Tous n'avaient d'yeux que pour ce petit farfadet venu d'on ne sait où.

Fatigué de son pèlerinage et de porter ses bagages, Djiangorata ralentit le pas. Levant les yeux, il aperçut, sur une terrasse, un homme énorme qui servait à boire et à manger. Il s'approcha et, à une dizaine de mètres, son regard croisa celui du serveur.

Paulo, croyant qu'il s'agissait d'un de ses visiteurs tant attendus, fit signe à l'inconnu de s'approcher.

– Venez! Venez! l'invita-t-il.

Djiangorata avança timidement. Cet accueil tombait à point pour l'indigène, chez qui l'exaltation de l'arrivée avait laissé place à des considérations plus terre à terre comme manger, boire et dormir. Dans un espagnol laborieux, Djiangorata expliqua d'où il venait en promenant un doigt sur sa carte si précieuse. L'air incrédule, Paulo songea que le Maestro serait enchanté de découvrir ce curieux et exotique personnage.

– Prenez, ça vous fera le plus grand bien! dit Paulo en tendant à son vis-à-vis un bout de pain et un bol de bouillon. Vous êtes chez vous ici. Restez le temps qu'il faudra pour vous remettre sur pied.

D'un hochement de tête aussi hésitant que surpris, Djiangorata remercia le ciel pour cette rencontre inespérée.

– Vous avez de l'eau très froide, des œufs et un tonneau? demanda Djiangorata qui tenait précieusement un sac de cuir contre lui.

– Certainement! répondit l'aubergiste qui ne s'étonna même pas de cette requête; il en avait vu de toutes les couleurs au fil des années à cause des scientifiques qui fréquentaient son auberge.

****

Après avoir commis son crime, Vulturio alla faire ses bagages. Puis il annonça à Paulo son départ.

– Ma pauvre mère se meurt à Pise, je dois aller à son chevet.

Dépité, l'aubergiste acquiesça, fidèle à sa légendaire empathie qui faisait de lui l'un des personnages les plus aimés de Venise mais malheureusement, aussi l'un des plus dupés et volés. Après avoir tourné le dos à son interlocuteur, Vulturio afficha un sourire de satisfaction. En sortant de l'auberge, son regard croisa celui de Djiangorata.

« Je n'aime pas cet homme », pensa le scientifique.

Paulo entreprit de faire les présentations :

– Voici mon nouvel ami, Djiangorata. Il vient du Nouveau Monde. Djiangorata, voici Luigi… Mais où est-il passé, celui-là?

Vulturio s'était effacé telle une vipère dans les hautes herbes…

****

Vulturio quitta Venise dans sa diligence toujours conduite par son cocher à l'allure inquiétante. Le cardinal avait la gorge nouée. La torture ne venait pas d'un quelconque remords face au méfait commis plus tôt, mais de pénibles souvenirs. Lors d'une soirée orageuse, sa femme était morte dans cette superbe cité. Cette soirée aurait dû être une source infinie de bonheur puisque sa fille venait de naître. Un jeune médecin avait tout gâché; son savoir n'avait pu empêcher la mort de la bien-aimée de Vulturio. Voyant les complications s'amener, il avait chassé la sage-femme et tenté l'impossible pour sauver la mère.

– La science est le langage du mal et constitue une défiance que Dieu ne peut accepter! avait hurlé Vulturio. Elle m'a prise celle que j'aimais plus que tout. Voilà ce qui arrive lorsqu'on lui confie notre vie. La science nous la vole et s'en nourrit!

Puis il avait tout fracassé dans sa demeure. L'enfant avait été confiée à un couvent de nonnes situé à Pise… il y avait déjà seize ans.

Le deuil de Vulturio avait trouvé écho dans les ordres, plus particulièrement auprès de Machiavelli qui avait facilité son ascension au sein des hautes sphères de l'Église au Vatican. C'est d'ailleurs Nicolas qui avait organisé la première rencontre entre le Monarque et Vulturio. Le Maître avait vu en ce dernier un soldat potentiel, car sa rage était si grande qu'il était prêt à donner sa vie pour combattre la science et ses porte-étendards. Nul ne devait cependant connaître son passé. N'ayant pas le choix, Vulturio avait fait une croix sur celui-ci, se jurant bien d'éliminer les hérétiques et leur supposées connaissances. Le Monarque considérait Vulturio comme un homme de main fidèle et misait sur son profond ressentiment. Ce dernier était également devenu un grand inquisiteur, dont le rôle était justement de traquer les infidèles.

****

Paulo n'avait pu rester indifférent face à l'étrange personnage parlant espagnol, mais venu de si loin et racontant une folle histoire – ce curieux périple qui l'avait mené du Nouveau Monde jusqu'à Venise.

Djiangorata sortit son livre, sa carte et sa curieuse lunette d'or. Paulo était fort intrigué.

– Je peux vous présenter des gens fort intéressants, vous savez? lança-t-il. Nous avons une réunion demain et le Maître y sera. Il s'appelle Leonardo Da Vinci. Vous savez, notre pays n'est pas très différent du vôtre. Les gens ont peur de ceux qui maîtrisent les connaissances. Restez à l'auberge, cher ami. Vous serez mon invité aussi longtemps que vous le voudrez!

Quand la nuit arriva, Djiangorata contempla le ciel de sa fenêtre. Les mêmes étoiles et la même lune éclairaient le firmament. Et un désir d'apprendre similaire animait l'esprit des hommes, où qu'ils soient.

****

Le réveil du scientifique fut brutal, à cause des deux marchands de pain qui se faisaient la guerre pour établir leur commerce sur le coin d'une rue achalandée.

«Finalement, l'italien est une langue agréable à entendre dans la mesure où les gens se disent de belles choses », réfléchit Djiangorata.

De son balcon, il avait l'impression d'observer des fourmis, chacune obéissant à une mission particulière. Il fut aussi interpellé par le chant d'un gondolier qui conduisait de jeunes amoureux sous les ponts de la belle Venise. Il découvrit que l'amour pouvait devenir un jeu lorsque les préoccupations relatives à la survie étaient comblées.

Après avoir tiré à pile ou face, le boulanger perdant plia bagage et alla s'installer plus loin. N'eût été de leur fragile inventaire, son opposant et lui en seraient sûrement venus aux coups.

Djiangorata admira le ciel bleu dépourvu de nuages. Connaîtrait-il enfin un peu de répit?

****

« Encore un soupçon de basilic et pourquoi ne pas rajouter du vin pour agrémenter cette soupe? Le Maestro adore le vin! » pensa la cuisinière inspirée qui s'affairait à concocter un repas digne des invités que Paulo allait accueillir. Elle prit la carafe et versa une once de vin. Alors qu'elle se préparait à déposer le contenant sur la table, celui-ci lui glissa des mains et se fracassa au sol. « Ce vin a une drôle de couleur... », constata la femme en observant la flaque noire aux reflets rougeâtres. Ayant peur des réprimandes que ce fâcheux événement pourrait lui occasionner, la cuisinière décida de ne rien dire. Un seau d'eau eut tôt fait d'effacer l'impair.

Tout était prêt. Il ne manquait plus que les invités.

****

Djiangorata fut convoqué par Paolo à la mystérieuse réunion. L'aubergiste en manqua le début, car il eut maille à partir avec un client insatisfait. Lorsque tout fut réglé, il alla chercher le scientifique. Après avoir descendu un escalier avec son hôte, Djiangorata découvrit un passage secret qui menait à une immense pièce éclairée par des torches.

– Chers amis, je vous présente Djiangorata. Il vient du Nouveau Monde.

Intrigués, les hommes qui terminaient leur soupe regardèrent l'inconnu.

– C'est aussi un homme de science, ajouta Paulo pour rassurer ses invités.

Le nouveau venu était devenu le point de mire de la soirée, mais Leonardo ne sembla pas lui accorder la moindre attention.

Soudainement, un individu étrange fit son entrée, escorté de soldats. Il portait un masque blanc en fine porcelaine. Il prit place sur une chaise et se contenta d'écouter. Cet homme était le mécène du groupe, celui qui finançait toutes les expériences, les voyages et les recherches. Nul ne connaissait son identité, mis à part Leonardo Da Vinci qui gardait le secret. L'homme masqué fut lui aussi fasciné par l'indigène venu de si loin.

À peine Djiangorata eut-il commencé à parler de ses cristaux que Leonardo l'interrompit.

– Je crois que notre bienfaiteur aimerait plutôt connaître le fruit de nos recherches, issues d'une démarche sérieuse et rigoureuse, et non entendre parler de sorcellerie se situant à mi-chemin entre le folklore et la pensée magique!

Tous se mirent à rire à gorge déployée. Djiangorata en fut fort contrarié. Mais il ne pouvait quitter les lieux, car il ne se rappelait même plus par où il était entré.

C'était quand même la crème des scientifiques qui participait à ce très sélect souper. Il y avait l'Espagnol Alonzio Moralez, un peintre et scientifique de Barcelone. Cet épicurien orientait ses recherches afin de pouvoir davantage se vautrer dans ses vices dont le plus important était la gourmandise. Il avait d'ailleurs mis au point un textile élastique fort pratique, compte tenu de ses fréquentes fluctuations de poids. Ducray, un jeune Français qui était surnommé le roi de l'alambic, créait des potions qui guérissaient de nombreux maux. Sa plus célèbre invention demeurait ces étranges pastilles qui soulageaient les maux de gorge. Il faisait fureur auprès des chanteuses d'opéra, ce dont il ne se plaignait pas le moins du monde. Esben Stratssen, un Danois, avait inventé un gaz refroidissant qui produisait de la glace même en été. Il avait dû quitter son pays à la suite d'un incident impliquant le roi. Ce dernier s'était cassé le bras en glissant sur la dalle de glace que Stratssen avait apporté au château dans le but d'entrer dans les bonnes grâces de la noblesse. Il reçut plutôt l'exil en guise de récompense! Tito Porto avait créé la boisson du même nom. Ce Portugais avait un peu trop abusé de sa découverte, au point qu'il fallait se demander s'il ne faisait partie du groupe que pour approvisionner ses compères en divine liqueur! Maïding Tchaïna était un Oriental qui se spécialisait dans les herbes médicinales. Il avait établi une véritable carte géographique du corps humain et, avec des aiguilles, il réussissait à soigner les gens. Il avait entrepris de produire ses herbes en série par un procédé qu'il appelait « industrialisation ». Et le dernier, le Russe Vladim le Cosaque, avait inventé une machine à compter. Un amalgame de dizaines d'engrenages ornés de chiffres permettait de faire des calculs rapides et précis. Il était convaincu que tout pouvait s'expliquer par des formules mathématiques. Sa femme l'avait d'ailleurs jeté dehors lorsqu'il avait entrepris de calculer l'amour qu'elle avait pour lui!

– Alonzio, nous commencerons par vous, annonça le bienfaiteur. Je constate que votre expérience sur la conservation du gruyère vous a donné de nouvelles formes… conclut-il en riant.

Alonzio Moralez était rouge de honte et semblait vexé. Le bienfaiteur aimait bien piquer l'ego de ces intellectuels car, malgré son appui indéfectible à leurs recherches, il avait tout de même peur qu'ils se considèrent plus importants qu'ils ne l'étaient en réalité.

Quelle soirée fascinante pour Djiangorata! Des gens comme lui partageaient l'ensemble de leurs connaissances à l'abri des regards indiscrets. Plus d'une fois il aurait eu envie de commenter ce qu'il entendait, mais le fait d'avoir été cloué au pilori par Leonardo Da Vinci l'avait réduit au rôle d'un être totalement inintéressant.

Après plusieurs heures et beaucoup de vin consommé, les propos des convives devinrent de moins en moins cohérents, ce qui finit par donner le signal de la fin de cette festive et intéressante rencontre.

– Vos chambres vous attendent, chers amis! lança Paulo, fatigué de sa journée mais très satisfait de celle-ci.

L'homme masqué, qui n'avait bu qu'une coupe, tout comme Leonardo, se leva. Il remercia tous ses convives et leur donna rendez-vous dans trois mois. Nul moyen de savoir de qui il s'agissait. En plus d'être masqué et ganté, une cape sombre couvrait le reste de son corps.

Après son départ, Leonardo demanda à Djiangorata de l'accompagner dans un laboratoire de recherche attenant à la salle. Djiangorata se méfiait et se sentait fort humilié que Leonardo ait gâché sa première rencontre avec le groupe de scientifiques.

– Cher collègue, nous vivons dans un monde de traîtres et de scélérats, dit Leonardo. Si vous aviez parlé, on vous aurait volé vos idées, et ce, sans aucun scrupule. Et qui sait ce qu'on aurait fait avec vos inventions? Je suis désolé de vous avoir blessé. Vous me semblez d'une intelligence remarquable. La plupart de mes faits d'armes étant derrière moi, il ne m'intéresse donc pas de m'approprier vos découvertes. Collaborer avec vous me rendrait fort heureux en plus d'assouvir, je dois l'avouer, une certaine curiosité.

Djiangorata sourit.

– Je suis heureux de le savoir, car cela serait un honneur pour moi aussi, fit-il. Vous semblez être le membre le plus important de votre groupe. Quelles sont vos réalisations? demanda-t-il avec une telle innocence que sa question ne vexa pas le moins du monde le Maestro.

Les deux hommes partagèrent leurs théories et leur savoir jusqu'à l'aurore. Da Vinci fut fasciné par l'expérience des tortues. Il n'en revenait pas de voir à quel point l'indigène travaillait en symbiose avec la nature au lieu de tenter par tous les moyens de l'expliquer, de la maîtriser ou de l'analyser, comme le faisaient les scientifiques de la Renaissance.

Djiangorata lui expliqua le concept d'acquisition de l'œuf. Il sortit sa lunette ornée de cristaux, ces mêmes cristaux qui lui avaient valu d'être banni de sa tribu. Il se sentait réhabilité par Leonardo, qui paraissait le trouver fort ingénieux.

Le Maya avait fait passer à l'étape supérieure l'interaction entre l'homme et son environnement, lui qui n'avait pas dépassé le stade d'exploiter l'eau pour alimenter des moulins, le feu pour se réchauffer et le vent pour se déplacer sur l'eau.

– Entreposer de l'énergie, des caractéristiques génétiques… Imaginez si on arrivait à entreposer le savoir d'un scientifique! s'exclama Leonardo.

Il voyait dans les expériences de Djiangorata une nouvelle bibliothèque d'Alexandrie. Terminées ces interprétations, ces déformations propres aux traditions orales. Avec la lunette et le cornet, on pourrait même voir les scientifiques expliquant leurs concepts. Quelle emballante invention!

– Vous savez, mon esprit dispose d'une importante quantité d'informations… plus que vous ne pourriez imaginer, reprit Leonardo. Puis-je être votre cobaye, à condition évidemment que vous disposiez d'un œuf propice à l'expérience?

– J'ai une cuve d'eau froide qui risque de vous intéresser, annonça fièrement Djiangorata.

La cuve contenait l'œuf précieux qu'il avait transporté avec lui pendant l'interminable et périlleuse traversée. Le jeu en avait valu la chandelle puisque maintenant le plus éminent scientifique de l'époque était prêt à faire de son invention son nouveau cheval de bataille. Les deux hommes décidèrent de faire équipe pour mener à bien l'audacieux projet.

Quelques heures à peine après leur départ, tous les scientifiques qui étaient présents chez Paulo ressentirent une curieuse faiblesse et eurent de la difficulté à digérer le copieux repas qu'ils avaient pourtant tant apprécié. Le veau n'était pas frais à cause de la canicule estivale, estimèrent-ils. Seul, Djiangorata ne ressentit pas ces malaises puisqu'il avait décidé de goûter aux produits des marchands belliqueux qui l'avaient tiré de son sommeil ce matin-là. Il avait englouti plusieurs pâtisseries, ce qui avait gâché son appétit pour le reste de la journée.

****

Le lendemain, Leonardo décida de partir pour la France avec Djiangorata et l'œuf. Leonardo sentait souffler un vent nouveau mais qui avait un air de déjà-vu. Il se revoyait à ses débuts, lorsque l'inexplicable l'emportait sur la solution, lorsque la naïveté avait le dessus sur la lassitude. Il sentait une renaissance de son savoir et de son engouement pour celui-ci. Il avait l'impression qu'il laisserait une sorte de descendance, qu'il ne mourrait pas totalement, que son savoir aurait enfin une chance d'être transmis à d'autres générations.

– Bonne route, mes amis! souhaita Paulo en serrant Leonardo contre lui

Il ignorait qu'il s'agissait de sa dernière accolade avec l'homme pâle et fragile.

– Êtes-vous certain de vouloir entreprendre ce voyage immédiatement, Maestro? s'enquit-il. Restez encore quelques jours.

Le regard de Leonardo s'illumina.

– Quelques jours de retard, Paulo, c'est souvent ce qui nous fait commettre les erreurs que l'on regrettera pour l'éternité. Le savoir n'attend pas; s'il passe son chemin, nous devrons nous nourrir d'ignorance, de noirceur et de peur.

À l'arrière de la diligence, un sac de cuir énorme et humide contenait tout l'espoir du monde. Il représentait l'immortalité du savoir de Leonardo.

****

Tel un vigneron qui attend que son vignoble donne des fruits, Vulturio attendait la terrible nouvelle qui allait causer une onde de choc sans précédent dans toute l'Europe. Sept scientifiques morts de façon aussi brutale que mystérieuse lors d'une réunion secrète où se pratiquaient rites païens et magie noire. Lorsque l'on tente de pénétrer les lois divines, ce sont les foudres du Créateur que l'on récolte. De quoi calmer cet appétit de savoir et de liberté chez beaucoup de gens. Le soleil se couchait sur Rome et Vulturio avait finalement eu sa vengeance.

« Ma bien-aimée peut enfin reposer en paix », songea-t-il avant d'être interrompu dans ses pensées par un jeune novice tout emballé par la rencontre qu'il venait de faire.

– Mon cardinal, Da Vinci est en Italie! Nous avons voyagé ensemble! Il retourne à son château en France avec un curieux personnage!

Vulturio réussit à sourire, mais la blancheur de sa peau trahit son désarroi.

– Vous allez bien, mon père? s'écria le novice.

VII

LE RELAIS

« C'EST DONC ÇA, un château? » se dit Djiangorata qui demanda ensuite au maître pourquoi les habitations étaient si solides et construites en pierre. Et pourquoi y avait-il tant de bâtiments noircis par le feu?

– De toute évidence, vous ne connaissez pas l'hiver! s'exclama Leonardo dont la réplique fut suivie d'une quinte de toux.

L'air frais sentait bon. Des plaines verdoyantes entouraient le village d'Amboise et une autre musique jouait aux oreilles de Djiangorata. On parlait français dans ce pays.

« C'est comme si l'Espagnol s'était trompé de chemin en se rendant chez l'Italien! » se fit-il la réflexion, lui qui tentait vainement de comprendre les conversations autour de lui.

Après quelques jours passés au château, Djiangorata avait soif de découvrir ce qui représentait pour lui un nouveau monde. Il était fasciné par toutes les différentes civilisations qui peuplaient ce continent. Il avait envie d'explorer, d'en savoir plus sur les hommes blancs qui parlaient tous une langue différente.

– Voici l'œuf, Maître. À vous maintenant de lui communiquer votre savoir. Moi je vais approfondir le mien dans les beaux pays qui nous entourent. Je reviendrai dans un mois.

Traverser la France et l'Espagne en tant que partenaire de recherche de Leonardo Da Vinci garantissait à Djiangorata un périple sans tracas et l'hébergement dans de prestigieux établissements du fait que le savant était un véritable symbole de l'époque, un phare pour la science, le porte-étendard de la Renaissance… Leonardo était devenu une légende avant même sa mort.

****

– Je ne comprends pas, Grand Monarque! J'ai pourtant mis moi-même le poison que vous m'avez donné dans la carafe de vin. Ou ils n'en ont pas bu, ou ils sont plus forts qu'on ne le croit.

Ces pauvres explications ne suffirent pas à calmer la colère de l'être de la nuit.

– Vous êtes lamentable, Vulturio! J'aurais dû vous laisser crever dans votre misère. Votre émotivité vous conduira à votre perte! Il n'aurait plus manqué que vous tombiez face à notre Saint-Père qui séjournait à Venise! Hors de ma vue, imbécile!

Vulturio tourna les talons. Il aperçut alors les curieux croquis dessinés par le Monarque lors de ses incantations.

– Je l'ai vu, lui! s'écria-t-il en pointant le doigt vers le dessin représentant un indigène.

Le Monarque n'en croyait pas ses oreilles. La prophétie disait donc vrai.

– Retrouvez-le et tuez-le! ordonna-t-il impulsivement.

Pour la première fois, la voix du Monarque était teintée d'une peur indescriptible. Comme s'il avait douté de ses visions. Mais il venait d'avoir la preuve qu'elles étaient réelles… et son péril aussi!

****

Leonardo ferma la porte. S'adresser à des gens, soit, mais parler à un œuf, cela dépassait l'entendement. Il ne voulait pas passer pour fou, alors il s'était retiré dans une pièce à l'écart. Il installa l'œuf bien en vue et il débuta l'expérience.

– Mon nom est Leonardo Da Vinci et je suis un… je suis un… Zut! Bon, je recommence! Je suis Leonardo Da Vinci, citoyen de la terre et du monde, qui cherche à comprendre l'univers et à en dégager la vérité!

C'était parti! Leonardo parla sans discontinuer, désignant chacun de ses croquis, réfléchissant sur la science, l'amour, la guerre.

– J'ai appelé cette invention « char d'assaut », dit-il en exposant un de ses croquis. Cette machine pourrait nous permettre de voler comme un oiseau un jour! Et voici les muscles du visage, une fois la peau enlevée. Je vous présente maintenant ma perle rare : Mona Lisa. Celle-ci a occupé mes pensées chaque jour depuis que j'ai peint ce tableau. Il y a tant d'amour dans son regard! Si seulement vous pouviez voir Mona Lisa en personne!

Au bout de quelques jours, Leonardo remarqua un étrange phénomène. Mais peut-être était-ce la fatigue qui faussait ainsi sa vision? Pas du tout. L'œuf avait effectivement doublé de volume. Les connaissances s'y emmagasinaient à vue d'œil. Da Vinci était abasourdi de pouvoir vérifier sur-le-champ ses récits avec la lunette et le cornet inventés par Djiangorata.

****

Deux semaines plus tard, le château d'Amboise, dont l'atmosphère était jusque-là fort tranquille, reçut la visite d'hommes armés d'épées et des Saintes Écritures. Vulturio s'était lancé à la poursuite de Djiangorata.

– Au nom de la Sainte Inquisition, nous exigeons qu'un indigène venu du Nouveau Monde et logeant à cette adresse soit mis aux arrêts et jugé pour sorcellerie!

– Cher cardinal, ce visiteur nous a quittés depuis fort longtemps, rétorqua calmement Madeleine, la maîtresse des lieux.

– Je ne vous crois pas! cria le prélat, furieux. Où est Da Vinci?

– Je suis ici, pauvre homme! lança Da Vinci.

Un spectre venait d'apparaître en haut de la mezzanine. Leonardo avait perdu la moitié de son poids et était d'une blancheur à donner froid dans le dos.

– Madeleine a dit vrai, reprit l'inventeur. Trop occupé à croire en Dieu, vous en êtes rendu à ne plus croire personne ici bas.

Da Vinci, d'ordinaire plutôt pacifique, savait qu'il jouait ses dernières cartes et que Vulturio ne se risquerait jamais à faire arrêter la légende vivante qu'il était.

– Où est-il parti?

– À l'est, chez les Helvètes, indiqua le Maestro. Il avait de l'or à leur confier! ajouta-t-il sur un ton moqueur.

– Je ne demanderai pas à Dieu de vous faire payer votre insolence, Da Vinci, car à voir votre apparence, je crois que c'est déjà fait. Le purgatoire vous attend, homme de peu de foi!

De nulle part surgit soudain un balai qui alla frapper durement la tête de Vulturio.

– Quittez ces lieux immédiatement! rugit Madeleine, dont la stature faisait peur à plus d'un homme. Votre robe ne vous donne pas tous les droits et surtout pas celui d'insulter Leonardo Da Vinci!

– Si vous mentez, nous reviendrons, déclara Vulturio, un peu étourdi.

Sur ce, il quitta les lieux avec ses sbires.

– Maestro, qu'avez-vous? s'inquiéta Madeleine.

– La vie ne tient qu'à un fil, ma chère, et le mien est de plus en plus mince, fit Leonardo avec un sourire qui n'arriva pas à masquer sa douleur. J'ai une tâche à terminer. Ne vous en faites pas. Croyez en ce qui vous chante dans la mesure où, dans cette mélodie, il régnera la vérité, votre vérité, celle qui vous rend vivante. N'ayez pas peur de douter des dogmes puisqu'ils ne sont que tromperie dans le but d'assurer une mainmise sur les gens. Soyez sans crainte. J'aurai bientôt terminé ma mission, fidèle amie.

Madeleine regarda son maître regagner ses quartiers. Elle ressentait pour lui une infinie tendresse et s'inquiétait pour sa santé. Elle ne pouvait imaginer qu'un jour le Maestro mourrait, lui dont l'œuvre et la sagesse symbolisaient l'éternité.

VIII

RENAÎTRE

– C'EST DONC LE Maroc là-bas? interrogea Djiangorata qui se trouvait à Gibraltar. Les gens y sont très différents, vous savez.

Comment pouvait-il parler de différence? S'était-il regardé dans un miroir? se demanda le guide qui accompagnait le scientifique. Il s'agissait de l'assistant d'Alonso Moralez dit Alonzio le ballon, également surnommé le plus « grand » scientifique de la Renaissance par ses pairs, en faisant référence évidemment au format de son ventre. L'éminent personnage n'avait pu escorter Djiangorata car il souffrait d'un mystérieux mal depuis le souper chez Paulo à Venise. L'indigène commençait à être intrigué car il se souvenait que le Maestro semblait, lui aussi, fort mal en point à son retour à Amboise.

Dès leur entrée dans les quartiers d'Alonzio, Djiangorata et son compagnon furent accueillis par un prêtre à l'étole pourpre. Le maître des lieux se mourait. Il avait subi une perte de poids importante, il ne mangeait plus, une fièvre persistante le terrassait et des vomissements de bile noircie l'affligeaient depuis trois jours. À bout de forces, Moralez avait lancé en guise d'adieu ces deux phrases au prêtre venu lui donner l'extrême-onction :

– Vous voulez que mon âme s'élève? Eh bien, quittez donc ces lieux car votre présence lui pèse comme le boulet d'un bagnard!

La tristesse fit place à l'inquiétude lorsqu'un jeune messager vint annoncer la mort de trois autres scientifiques à Paris, Genève et Pise.

– Ils ont tous été empoisonnés lors du souper à Venise! s'écria Djiangorata.

Aussitôt, il sauta dans la diligence d'Alonzio. La crainte au fond du cœur, il retournait à Amboise.

****

La route était longue et le périple prenait de plus en plus des airs d'arnaque. Tous les gens interrogés en chemin n'avaient aucun souvenir du passage de Djiangorata. Vulturio était-il donc aussi lamentable que le Monarque le croyait?

Au bord de la crise de nerfs, le cardinal explosa.

– Arrêtez de vous empiffrer, pauvres andouilles! hurla-t-il à ses soldats qui dévoraient un énorme gruyère volé à un pauvre paysan.

Lorsque Vulturio et ses hommes entrèrent dans le village suivant, tous les habitants ne parlaient que de cette triste nouvelle : Leonardo Da Vinci s'était éteint tout comme quatre autres scientifiques. Cette histoire plut à Vulturio. Du coup, il réalisa que le poison avait été ingurgité à une plus petite dose qu'il ne l'avait planifié. Mais peu importait. Il se réjouissait du résultat puisque l'absorption d'une plus petite quantité de poison dissiperait tout soupçon sur le responsable de ce drame.

« Le Monarque sera fier de moi! songea-t-il, satisfait. Mais pourquoi ne pas faire porter le blâme de toutes ces morts sur le dos de l'indigène? Tiens, je vais aller l'attendre à Amboise… »

****

Madeleine ne savait que faire de tous ces papiers, ces vêtements et de l'énorme œuf. Jamais, cependant, elle ne se risquerait à jeter quoi que ce soit. Paulo saurait quoi faire, lui.

Elle donna ses ordres aux concierges :

– Montez le tout dans la tour Nord. Nous ferons le tri après les obsèques. Nettoyez cette chambre. Nous y exposerons le défunt.

L'œuf avait été rangé. Il était sur le point de tomber dans l'oubli le plus complet. La lunette et le cornet gisaient à ses côtés.

Le soir même, quelques chandelles éclairaient la dépouille de Leonardo, qui reposait les mains croisées. Tous avaient les larmes aux yeux et ne pouvaient contenir l'immense peine que représentait la perte d'un être aussi extraordinaire, qui s'était montré si attachant avec ses amis français, du plus simple villageois au plus éminent personnage. Leonardo aimait tout le monde et tous l'aimaient. Madeleine était comme un bateau sans gouvernail; quand elle songeait à l'avenir, elle dérivait dans le découragement le plus total.

****

Le Monarque jubilait. Les forces occultes avaient finalement triomphé des hérétiques!

– Où vit l'ignorance règne un heureux roi! exulta-t-il.

Une seule chandelle éclairait ses quartiers. Nicolas l'avait achetée d'un illustre sorcier qui l'avait ni plus ni moins initié à la magie noire. La paraffine de la bougie possédait une propriété bien spéciale : elle ouvrait l'esprit à ce qui se passait ailleurs dans l'instant présent. Le Monarque vit l'indigène se dirigeant à toute vitesse vers Amboise, Vulturio qui en faisait autant et… une mystérieuse cape pourpre presque imperceptible, comme si elle était protégée par un sort. Il devait l'empêcher d'atteindre Amboise. À l'aide d'un grimoire, le Monarque récita une incantation.

– Sombre porteur de pluie et de tonnerre, sois sans pitié et déchaîne ta colère! Rose des vents, il n'en tient qu'à vous de maîtriser l'ennemi et de le mettre à genoux!

Le soleil qui brillait quelques instants plus tôt fut soudainement obscurci par des nuages noirs poussés par des vents d'une puissance extrême. Un déluge s'abattit sur le château d'Amboise et ses environs. Les éclairs se succédèrent à un rythme infernal. Un bruit assourdissant se fit entendre quand la foudre frappa les tours, dont celle du Nord, avec une violence inouïe. Les papiers se mirent à voler au vent et la toiture subit de lourds dommages.

En tombant par terre, l'œuf s'était fracassé et l'éclair avait noirci sa coquille. Était-ce sa chute qui l'avait abîmé à ce point… ou plutôt ce qui se trouvait à l'intérieur? Une griffe noire sortit de l'œuf. L'ovale se rompit totalement. Une forme mi-humaine, mi-reptilienne, émergea de celui-ci. La créature ouvrit ses yeux. Sans crier gare, une cape pourpre s'empara d'elle et disparut au loin.

****

Quand Djiangorata arriva au château, il monta aussitôt à la tour. Il n'y trouva que des écailles carbonisées et des papiers éparpillés. Le savoir du Maestro était parti avec lui.

« Peut-être la nature a-t-elle voulu nous punir pour notre arrogance envers elle? » se questionna l'indigène.

Il ramassa le plus de documents qu'il le put afin de les protéger des intempéries. Madeleine s'en voulait d'avoir tout entreposé dans cette tour.

– Le Maestro ne me le pardonnera jamais! émit-elle en pleurant.

Peu de temps après, un autre bruit assourdissant retentit. La porte principale vola en éclats, résultat de l'action des sbires de Vulturio qui n'avaient pas jugé à propos de frapper.

– Halte, meurtrier! s'écria Vulturio. Vous serez jugé pour multiples assassinats et sorcellerie.

Puis il ordonna à ses hommes :

– Emmenez-le!

Djiangorata avait reconnu ce regard, croisé à Venise. C'était le concierge de Paulo, la barbe en moins! C'était lui le coupable...

Se sentant fait comme un rat, Djiangorata tenta de s'échapper, mais un des soldats le saisit par son vêtement. Le scientifique tomba par terre.

On attacha les mains du prisonnier et on plaça une baïonnette sur sa gorge. Pour Djiangorata, ce n'était guère le moment de débattre de l'identité du vrai coupable. L'indigène eut tout juste le temps de dire à Madeleine qui le regardait sortir, escorté par les soldats rustres :

– Avertissez Paulo, de grâce... souffla-t-il avec des sanglots dans la voix.

Confus, Djiangorata se demanda si Dieu le poursuivait. Il avait emprisonné le soleil et, même s'il avait fui aux confins du monde, il ne pouvait échapper au châtiment divin.

Pendant ce temps, au loin, un cavalier galopait. Il tenait contre lui un être étrange et hideux qui répétait sans arrêt les mêmes mots :

– Je suis… je suis… je suis…

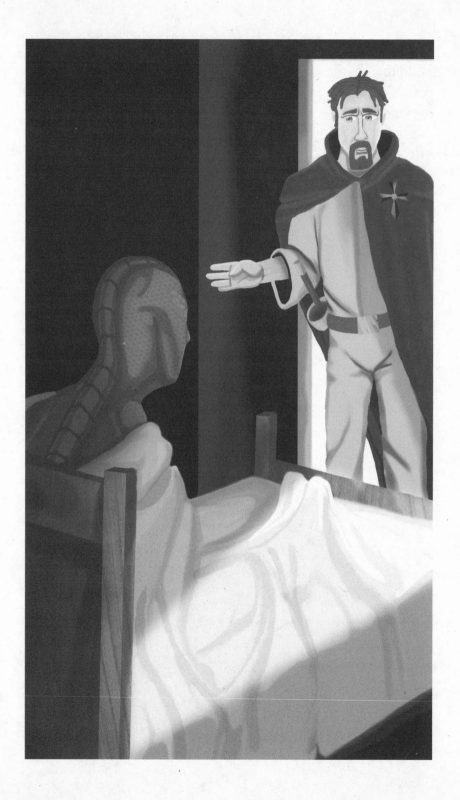

IX

LES PIEDS SUR TERRE

MONA LISA SOURIAIT. Son regard le calmait; tout le monde aurait voulu l'avoir pour mère.

– Mona, parle-moi! Que t'arrive-t-il? Parle-moi!

Ses yeux rougirent soudainement et la peau de son visage disparut peu à peu, laissant place à des muscles et à des cavités crâniennes sombres et vides. Il reconnaissait chacun des ligaments et chacune des articulations. Soudain, une immense lumière fut et il vit le Christ à son dernier repas. « Pardonnez-moi! » cria-t-il d'une voix désespérée.

Silence.

Un plafond et des murs de pierre. Le rêve semblait plus réel que l'instant présent. « Où suis-je? Que se passe-t-il?

Qui suis-je? » Tant de questions encombraient l'esprit de cette créature qui n'avait qu'une nuit d'existence.

– Da Vinci!

L'être se retourna, comprenant très bien qu'on l'appelait mais sachant aussi qu'il n'était pas tout à fait cette personne.

L'étrange personnage au manteau pourpre et aux allures moyenâgeuses s'esclaffa :

– Une seule nuit et vous avez déjà une taille impressionnante! La nature ne vous a cependant pas gâté, mais vous auriez pu aussi être né d'un œuf de poulet!

– Qui… qui êtes-vous? articula difficilement le reptile à forme humaine, légèrement handicapé dans sa diction par sa langue fourchue.

– Je suis Richard le Grand, le supérieur des chevaliers d'Avignon. *Spes in fides, pacis in verum!* Vous êtes à l'abri ici, ne craignez rien.

– Pourquoi m'en ferais-je? Je ne sais même pas qui je suis!

– Vous ne deviez être que du savoir. Moi, je ne devais rapporter qu'un œuf. Et vous voilà! Mais vous avez failli mourir avant même d'avoir vécu. À mon arrivée à la tour du château, la foudre s'est abattue sur celle-ci. À moins que ce soit l'éclair qui vous ait donné la vie?

– Ai-je un nom?

– Da Vinci… annonça Richard. Mais votre prénom, ce sera Lezardo à cause de votre allure, ajouta-t-il d'un ton solennel.

Une totale incompréhension régnait dans l'esprit de la créature qui, en une journée, avait presque atteint sa maturité. Lezardo comprenait tout ce qu'on lui disait. Il avait réussi à parler et même compris le cri de ralliement en latin des chevaliers d'Avignon : *Spes in fides, pacis in verum* – ce qui signifiait : « L'espoir dans la foi, la paix dans la vérité. » Il regarda ses mains; il fut effrayé par leur peau écaillée à la teinte charbonnée et leurs extrémités qui se terminaient par de longues griffes. Mais c'est lorsqu'il se vit dans une glace que le choc fut sans pitié. Il avait l'air d'une créature venue des abîmes de l'enfer avec ses horrifiants yeux rouges et ses pupilles de forme pointue. Et il possédait une énorme queue épineuse dont un seul coup suffirait à tuer quiconque.

Malgré sa grande bravoure, le chevalier paraissait effrayé par l'apparence du reptile, se demandant s'il n'aurait pas mieux valu abandonner celui-ci. Après tout, comment Da Vinci s'en serait-il aperçu, ayant déjà quitté ce monde? Au delà de ses intérêts personnels, Richard vouait une loyauté sans faille à Leonardo. Il décida de s'en remettre au destin. Mais quel casse-tête tout de même!

« L'enfer est pavé de bonnes intentions », se dit-il en regardant l'étrange et terrifiante bête à demi humaine qui semblait cependant si dépourvue et si désemparée.

Était-ce l'élu, celui qui devait mettre fin à l'Ordre d'Adder? La prophétie décrivait ainsi l'élu : « *Cet enfant naîtra de la foudre et sa peau noire résistera à l'épée. Il portera la bête et le savoir de l'humanité en lui.* »

– Mais oui, vous êtes l'élu! s'écria Richard. Les astres auraient donc vu juste? Mettez cette chemise, jeune homme. Nous devrons modifier votre pantalon!

Tous deux rirent; Lezardo trouva cette sensation fort agréable… Il avait acquis un nombre incroyable de connaissances, mais Djiangorata et Leonardo avaient omis de lui dire qu'il n'était qu'un lézard! Pire, un œuf de lézard! Les informations lui étaient transmises, il ne devait pas les traiter, les interpréter ni même réfléchir à celles-ci. Ce qu'il savait, c'est qu'il n'aurait pas dû naître. Il avait donc failli à sa première tâche.

– Tout ce savoir mourra donc avec moi? émit-il, désespéré.

– Vous venez tout juste d'arriver en ce bas monde, alors épargnez-moi donc ces jérémiades sur votre mort! En attendant, buvez ceci. Ça vous fera le plus grand bien. Et prenez un de ces fruits.

Lezardo regarda une orange, mais il n'eut d'yeux que pour la mouche qui se promenait à la surface de l'agrume. Il but l'eau offerte par le chevalier tout en se demandant quelle sorte d'existence l'attendait.

****

Lydia adorait voir le soleil se lever sur la tour. La nature dans toute sa perfection illuminant l'œuvre de l'homme qui avait un sérieux penchant pour l'erreur! Mais cette caractéristique avait rendu la ville de Pise unique aux yeux des voyageurs de partout sur le continent. Lydia était le désespoir du couvent. La mère supérieure de la Chiesa di Santa Maria del

Carmine, un monastère carmélite de Pise, l'avait même confiée aux soins de saint Jude, le patron des causes désespérées. La jeune fille avait tout juste seize ans et portait le pantalon depuis bientôt quatre ans. Monter à cheval et manier l'épée faisaient partie de son quotidien. Comme si cette orpheline avait toujours su qu'elle aurait à se battre dans la vie. Chaque dimanche, après la messe de six heures, elle traînait de force Sebastian, le fils de l'intendant, pour leur duel hebdomadaire. Le garçon trouvait ces affrontements particulièrement humiliants, mais Lydia était sa seule amie et il se comptait chanceux de l'avoir. Le couvent était rempli de jeunes novices qui faisaient de la couture et chantaient des psaumes à longueur de jour.

– En garde! lança Lydia en dressant son arme devant son adversaire.

– Bon… répliqua d'un ton blasé et résigné celui qui savait qu'une cuisante défaite l'attendait. Par chance, ce n'était pas un vrai combat donc la seule chose qui était en péril, c'était son orgueil.

Mais cette fois, Sebastian entama la joute plus agressivement.

Lydia sentait que son vis-à-vis allait bientôt la surpasser en force et que ses victoires ne seraient plus aussi convaincantes.

Les épées s'entrechoquèrent et l'affrontement fut âprement disputé. Soudain, Lydia glissa sur l'herbe gorgée de rosée matinale, mais elle évita le coup fatal en roulant sur elle-même. Jamais Sebastian n'avait été aussi près de la victoire. Lydia repoussait l'une après l'autre les attaques de son opposant, se trouvant acculée contre le mur de la chapelle presque chaque fois. Sebastian souriait, croyant le triomphe à portée de main. Mais en un éclair, Lydia, se donnant comme appui le mur de pierre, fit un saut dans les airs. Après avoir pirouetté sur elle-même, elle retomba derrière son adversaire et logea son épée sous la fourche du jeune homme.

– Un seul geste et vous pourrez postuler comme novice au couvent! dit-elle fièrement même si elle s'inquiétait des progrès de Sebastian.

Humilié, celui-ci aurait grandement préféré avoir la pointe de l'arme sur sa poitrine ou sur son œil.

« Ses parents seraient bien surpris d'apprendre qu'ils ont mis au monde un garçon manqué! » se dit-il.

Mais, mis à part son habillement, Lydia était la plus belle perle du couvent avec ses yeux bleus et sa tignasse châtain clair qui volait au vent.

****

Léon X s'enferma dans ses quartiers. Il réussissait à conserver une façade de marbre en public, mais il s'effondra en larmes une fois sa porte fermée. Lui, le bienfaiteur au masque de porcelaine, était-il responsable de la mort de tous ces scientifiques?

« Si je ne les avais pas aidés et financés, ils auraient été plus difficiles à repérer, étant ainsi moins organisés! Je suis donc loin de l'infaillibilité. Pardonne-moi, oh mon Dieu! » songea en sanglotant Léon X, qui implorait le crucifix de marbre accroché au mur.

Doutant de l'avis de Machiavelli sur la question du savoir, il s'était déguisé lors de ses rencontres secrètes avec les scientifiques. Il avait alors découvert une ouverture d'esprit, une soif d'apprendre et un désir d'améliorer le sort de l'humanité. Malgré sa fidélité aux dogmes, il savait qu'une énergie était sur le point de s'éveiller et de voir le jour et qu'il faudrait que l'Église s'adapte au phénomène si elle ne voulait pas perdre ses fidèles. Le groupe de scientifiques ayant été décimé, tout était à recommencer. Malheureusement, même Leonardo était parti. Il avait encore tant à apprendre de lui.

On frappa à la porte. Léon X reprit ses esprits.

– Votre Sainteté, le cardinal Vulturio a mis aux arrêts un indigène qui aurait assassiné plusieurs hommes de science, déclara un jeune soldat impressionné par le Saint-Père mais fier de lui apporter cette importante nouvelle.

– Qu'aucun mal ne lui soit fait! ordonna le souverain pontife. J'exige de voir cet individu dans les plus brefs délais. Vous pouvez disposer, soldat, conclut-il en espérant que le jeune homme n'avait pas remarqué la rougeur de ses yeux mouillés.

****

- C'est l'œuvre de l'Ordre d'Adder, j'en suis certain! déclara Paulo avec rage avant de projeter un vase de grès contre le mur.

L'auberge était devenue un lieu où la tristesse prédominait. Que ferait Paulo de la pièce secrète remplie de prototypes et de plans et où trônait une immense table à laquelle tous fraternisaient et discutaient de leurs recherches? Madeleine, en visite, tenta de raisonner l'aubergiste, mais sans succès.

– Il y a une place pour vous ici, mon amie, déclara Paulo. Amboise est devenu trop dangereux. De toute évidence, ma cuisinière a goûté au poison qui a tué nos amis puisqu'elle est morte il y a deux jours de la même façon. Mais par tous les saints, Madeleine, qu'allons-nous devenir? termina-t-il en sanglotant.

– Il faudrait demander l'aide des chevaliers d'Avignon. Il est à souhaiter que l'indigène ne se mettra pas à table, sinon nous y passerons tous.

– Mais où les soldats l'ont-ils emmené?

– À Rome. Cette arrestation était menée par le cardinal Vulturio, une véritable peste. Il semblait être au courant de la mort de tous nos membres. Pourtant, au moment de sa venue, Tchaïna et le Cosaque n'avaient pas encore trépassé. À mon avis, Paulo, cette affaire n'est pas très claire.

– Djiangorata n'aurait donc rien à voir avec tout cela?

Paulo se mit à réfléchir, puis il raconta :

– Il y a deux mois, j'ai embauché un homme à tout faire. Mais peu de temps après, il a dû se rendre de toute urgence au chevet de sa mère mourante à Pise. Il a plié bagage le jour précédent la réunion de nos disparus. Peu bavard, cet homme barbu a un air sévère, de gros sourcils et ses yeux sont vairons : un œil est bleu, et l'autre, vert…

– Mais, Paulo, vous venez de décrire Vulturio, la barbe en moins! coupa Madeleine.

Tous deux étaient sidérés par leur découverte. Léon X était certes le chef d'une Église rigide et souvent sans pitié, mais jamais il n'aurait commandité l'assassinat de scientifiques représentant la crème de la Renaissance.

– Nous devons immédiatement contacter le bienfaiteur. Sa vie est probablement en danger!

****

– Mais d'un autre côté, Votre Sainteté, cette tragédie n'empêchera-t-elle pas le règne de l'anarchie et des libres penseurs, véritables menaces pour la survie de l'œuvre de Dieu? fit Machiavelli, assis à deux pas du prie-Dieu de Léon X.

– Nicolas, nous avons attribué, peut-être à tort, beaucoup de vices à ces scientifiques. On ne pourra garder éternellement les gens dans la noirceur. Vivriez-vous toujours à l'époque des chevaliers, ou pire, dans la Rome de César?

– Certes non. Mais si vous me permettez… Avez-vous les moyens de perdre des fidèles ou d'entretenir la controverse? Si l'homme ne voit plus la colère divine dans un orage, il ne craindra plus ni l'orage ni Dieu. Le mystère et l'ignorance vous semblaient pourtant bien pratiques pour votre accession à la papauté. Dieu vous avait désigné, rappelant auprès de lui vos deux plus grands rivaux…

– Comment osez-vous faire de telles insinuations, Nicolas? Je n'ai rien à voir avec leur mort! Dieu est venu les chercher, tout simplement.

– Seraient-ce les conclusions d'un scientifique? Devrait-on rendre public le fait que lors du conclave, deux des plus prestigieux membres de l'Église se sont enlevés la vie en plus de désigner comme digne héritier d'estime votre chère personne? Je ne doute pas de l'intervention divine, mais je me méfie des démons qui, au nom de la science, tentent de contrecarrer les desseins du Créateur. Servons-nous plutôt de cette science pour ériger des monuments à la gloire du Tout-Puissant, pour défendre son église en repoussant les infidèles d'Orient, pour donner une vie décente et meilleure aux apôtres du Christ en attendant le retour du Sauveur. Il nous faut des projets rassembleurs comme, par exemple, la nouvelle cathédrale que nous bâtissons actuellement. Votre Sainteté, les voies de Dieu sont impénétrables. Quiconque tente de les percer en subira les conséquences.

– Mais cet indigène, quand pourrai-je le voir?

– Oubliez-le pour l'instant. Il semble très dangereux. Il ne parle pas et résiste à la torture.

La prison du Vatican n'avait rien du paradis terrestre, et tous les moyens étaient bons pour démasquer les fils du mal, incluant la torture.

– Vous l'avez torturé? Mais quelles preuves détenez-vous quant à sa culpabilité?

– Il a côtoyé Da Vinci durant le mois précédant la mort de ce dernier, indiqua Nicolas. Cela me semble une preuve suffisante, et ça devrait l'être pour vous aussi! ajouta-t-il avec un regard envoûtant.

– Merci Nicolas pour vos mots éclairés et votre fidélité à Dieu. Vous savez, même le pape peut être victime d'égarement… Mais ne tuez pas cet homme, pas tout de suite. Je tiens à ce qu'il ait un procès.

– À vos ordres, Votre Sainteté.

Machiavelli avait une fois de plus endormi la vigilance de son employeur. Mais si Djiangorata était la menace prédite par les oracles, pourquoi s'était-il fait prendre aussi facilement? Et la torture avait prouvé que sa peau n'avait rien d'une armure. Avait-il réussi à déjouer les astres? Après tout, si l'indigène ne représentait qu'une partie du casse-tête, la pièce manquante finirait bien par se manifester. Et une fois la menace éradiquée, l'Ordre d'Adder deviendrait éternel et régnerait à jamais. Après tout, une prophétie n'était pas nécessairement absolue et pouvait sûrement être renversée par plus puissant qu'elle…

X

AFFRANCHIR LA BÊTE

LEZARDO AVAIT ACQUIS une force phénoménale et une capacité à se déplacer très rapidement. Il pouvait aisément sauter sur un toit de trois mètres en un seul bond. Il se développait à une vitesse fulgurante.

Il était en train d'admirer l'épée que lui avait donnée Richard.

— Tu devras apprendre à t'en servir si tu veux survivre ici bas, lui avait conseillé son mentor.

En regardant les autres chevaliers s'entraîner, il comprit le principe du maniement de l'arme.

« Mais pourquoi les chevaliers risquent-ils leur vie ainsi? pensa-t-il. Je pourrais leur construire un char d'assaut. »

Près d'un mois s'était écoulé depuis l'arrivée au monde de Lezardo. Les chevaliers avaient bien accueilli cet homme-reptile qui leur avait été présenté comme une erreur de la nature, un orphelin dont il ne fallait sous aucun prétexte parler à qui que ce soit à l'extérieur de la communauté. Lezardo avait accepté de jouer le jeu quant à ses origines. De toute façon, qui aurait cru ces balivernes d'œuf dépositaire du savoir du Nouveau Monde et frappé par la foudre? Il y a des moments où la réalité est bien plus difficile à croire qu'un mensonge.

Dans la cour du château était assis un vieillard, un ancien chevalier qui, pour passer le temps, peignait le paysage devant lui : le mur de la cour, orné de rosiers et de cerisiers devant lequel se dressait un bain d'oiseaux sculpté dans la pierre. Lezardo était incroyablement attiré vers la peinture.

– Pourrais-je essayer, chevalier? demanda-t-il timidement.

Le vieillard sourit et lui céda la place. Deux heures plus tard, la commotion fut totale lorsque Lezardo termina son œuvre qui n'avait rien à voir avec le décor qu'il avait sous les yeux.

– Mais c'est la Joconde! s'exclama le vieillard. Comment pouvez-vous connaître tout ça? Vous n'êtes jamais sorti d'ici!

– Je rêve à cette femme toutes les nuits. Elle s'appelle Mona Lisa.

– Mais quels sont ces drôles d'arbres derrière elle? s'enquit le chevalier en désignant les palmiers et la mer qui faisaient figure de toile de fond à la beauté italienne.

– C'est chez moi, je crois… répondit mystérieusement Lezardo.

Le vieillard hocha la tête. Il se dit tout simplement qu'il devenait de plus en plus confus avec l'âge et que, de toute façon, se poser trop de questions ennuageait le ciel bleu de la paix qu'il avait pleinement méritée après de dures années de service au sein des chevaliers d'Avignon.

Soudain, un tintamarre mit fin à la conversation. C'était la cloche du palais qui commandait le rassemblement immédiat de tous les chevaliers dans la salle principale.

– L'heure est grave, mes frères! annonça Richard le Grand. Sept hommes de science, parmi lesquels Leonardo Da Vinci, ont été empoisonnés. Le Vatican a capturé le responsable. Il s'agit d'un indigène venu du Nouveau Monde répondant au nom de Djiangorata. Mais d'autres sources à Venise affirment que cet homme serait un bouc émissaire. Cette tuerie serait en fait l'œuvre de l'Ordre d'Adder.

Une croyance orientale affirmait qu'il y avait autant de bien que de mal sur terre et que le tout constituait un équilibre qu'il ne fallait pas altérer. Les premiers disciples d'Adder se voulaient les gardiens du malheur et exposaient des cristaux noirs en haut des montagnes afin que ceux-ci attirent le maximum de l'énergie négative venant des villages avoisinants. De cette façon, on s'assurait que l'énergie négative serait emprisonnée dans les pierres et n'affligerait pas les humains, ce qui permettrait de conserver l'équilibre entre les deux forces universelles. Mais plus la pierre accumulait cette énergie, plus elle développait d'étranges pouvoirs.

De mauvaises âmes se servirent de ceux-ci pour exécuter de sombres desseins.

Lors d'une expédition en Orient, des voyageurs de l'Oural furent initiés au rite d'Adder. Pratiqué par des sorciers, ce rite consistait à enfermer une personne qui portait sur elle le fameux cristal dans une pièce remplie de vipères. Les reptiles, effrayés par la pierre, se tenaient à distance de son porteur. Après le coucher du soleil, la plus forte des vipères se hissait jusqu'au bras gauche à découvert de l'individu. Le reptile le mordait et le venin devenait un puissant sérum, qui rendait sa victime habile à exercer le mal et à contrôler l'esprit des autres. Si la personne survivait au rite, on lui donnait une bague noire en forme de vipère et aux yeux sertis de cristal rouge.

Au fil des décennies, ne cherchant plus à créer d'équilibre énergétique, des êtres imbus de pouvoir avaient décidé de faire d'Adder le culte du mal et de la manipulation. Sadrovsky était devenu le huitième gardien du sceptre qui avait traversé tout le continent.

Famines, épidémies et guerres étaient attribuées à l'Ordre. Ses disciples manipulaient les chefs d'État; ils leur disaient que garder une population servile, ignorante et pauvre aurait pour contrepartie de leur apporter richesse, pouvoir et opulence. Très peu de monarques avaient le courage de devenir un membre en règle de l'Ordre d'Adder à cause du rite initiatique. C'est pourquoi, au fil du temps, les membres de l'Ordre jouèrent davantage le rôle d'éminences grises auprès des puissants. De cette façon, ils purent établir une emprise à long terme sur le destin des nations.

C'est ainsi que Sadrovsky devint un proche conseiller d'Ivan III dit le Grand. Adder les aida à faire de la Russie la troisième Rome; celle-ci était considérée comme la plus grande puissance d'Europe vers 1500. Protégé par l'Église orthodoxe, Sadrovsky exerça un contrôle total sur les décisions d'Ivan III jusqu'à la mort de ce dernier en 1505. Lorsqu'il fut démasqué, il prit la fuite avec le sceptre vers l'Ouest. Alertés par les ravages causés par l'Ordre d'Adder, les chevaliers d'Avignon, par crainte que l'Ordre maléfique n'atteigne le Vatican, prirent en chasse Sadrovsky.

Lezardo était fort étonné. Le visage à la peau foncée, la plage, la mer, la fuite : tout se rapportait à lui. Djiangorata n'avait rien d'un assassin. Et il y avait l'Ordre d'Adder... Mais comment Lezardo pouvait-il expliquer aux chevaliers que Djiangorata était son créateur sans risquer de devenir coupable par association?

– Dans quelques jours commencera le procès de cet homme. Nous y assisterons en essayant de ne pas nous faire remarquer. Nous devrons mener notre propre enquête et tenter de repérer des membres de l'Ordre. Si ce Djiangorata s'avère être innocent, cela signifiera qu'Adder s'est emparé du Vatican. Nous partirons à l'aube. J'aurai besoin de deux hommes à mes côtés. Charles le Balafré et Augustin Renard, vous serez de l'expédition.

Charles le Balafré avait mérité son surnom à la suite d'un combat épique avec Dimitriov Sadrovsky, l'ancien gardien du sceptre d'Adder. Serti d'un cristal noir rougeâtre, cet objet possédait des pouvoirs puissants mis au service du mal. Le fameux minerai avait la réputation de canaliser, d'absorber et d'augmenter l'énergie négative. Cette roche, qu'on prétendait croire venir de la lune, serait tombée du ciel sous la forme d'une boule de feu à la frontière de l'Inde et du Pakistan il y avait environ trois cents ans.

C'est en Turquie que Charles et ses compagnons avaient croisé le fer avec Sadrovsky et ses sbires de Mongolie.

L'affrontement sanglant n'avait laissé pour seuls survivants que Charles le Balafré et le chevalier Philippe. Le sceptre avait été détruit et la pierre rapatriée à Rome. Elle avait par la suite été volée, mais n'avait jamais été retrouvée.

Quant à lui, Augustin Renard était le protégé de Charles depuis la mort de ses parents, fauchés par la peste. L'enfant faisait preuve d'une intelligence exceptionnelle. Bon et agile combattant, il avait reçu son instruction des Jésuites et possédait donc d'excellentes connaissances en langues étrangères, en histoire et en géographie, ce qui en faisait un compagnon de choix pour toute expédition. Il avait grandi dans le palais des Papes. Augustin vouait une loyauté sans faille aux chevaliers d'Avignon.

– Comptez sur nous, Richard! affirma d'un ton décisif le Balafré.

Augustin regarda son compagnon en se demandant si un jour il pourrait répondre pour lui-même. D'un autre côté, son esprit analytique et ambivalent ne se plaignait pas de pouvoir compter sur un compagnon impulsif et prompt à réagir lorsqu'il fallait prendre des décisions urgentes. Il se contenta donc de hocher la tête d'un air approbateur.

– Et la prophétie? s'écria le vieux chevalier.

Adder, le Vatican, le sombre règne, l'homme à la peau noire...
L'air sévère, Richard fixa le patriarche. De toute évidence,
cette déclaration faite devant autant de gens contrariait le
preux chevalier.

– Il s'agit d'une prophétie de chevaliers païens, Philippe! Ce
n'est rien que cela, mon vieil ami. Rappelez-vous : « *Spes in
fides, pacis in verum!* » Manipuler un esprit ou semer le mal
ne requiert aucun sceptre ni pouvoirs surhumains. Quelques
âmes mal intentionnées suffisent. Nous partirons à l'aube,
conclut-il sèchement à l'intention de Charles et d'Augustin.

Richard ne voulait pas le laisser voir, mais il était tout aussi
confus que le vieux chevalier. Il avait lui aussi constaté que les
éléments de la prophétie se mettaient en place. Mais lui seul
avait la clé : Lezardo. Si ce dernier était l'élu, il devait être
protégé jusqu'à sa pleine maturité. Mais il fallait tout d'abord
vérifier si Adder se trouvait vraiment au Vatican.

Le crépuscule venu, Richard alla voir Lezardo.

– J'ai trouvé cet étrange instrument doré dans la sacoche avec
l'œuf, annonça-t-il en brandissant la lunette de Djiangorata.
J'imagine qu'il a un rapport avec toi et je préférais te le
remettre avant d'aller à Rome, ne sachant pas ce qui peut
m'arriver là-bas.

– Richard, laissez-moi vous accompagner! supplia Lezardo.

– Tu n'as aucune idée de ce qui se trouve de l'autre côté des murs du château. La méchanceté des hommes ne t'épargne-rait pas compte tenu de ce que tu es… Si un jour, tu devais te retrouver dans le monde, cache-toi et déplace-toi la nuit. Ce serait plus sûr. Je reconnais en toi ton père, lui qui fut d'une loyauté absolue envers les chevaliers d'Avignon. Nous te pro-tégerons toujours. Et ne t'inquiète pas : je reviendrai!

Lezardo était déchiré : devait-il obéir à Richard ou tenter de libérer son créateur? Mais que savait-il du monde extérieur? En réalité, il possédait énormément de connaissances sur celui-ci. Après tout, ne détenait-il pas tout le savoir de Leonardo Da Vinci?

****

Lydia était assise au bord de la fenêtre de sa chambre, obser-vant la lune. La journée avait été fort éprouvante.

Mère Anna Maria, la supérieure du couvent, lui avait lancé brutalement :

– Vous devenez un mauvais exemple pour les novices du monastère avec votre comportement. Vous n'êtes pas un gar-çon et vous devrez rentrer dans le rang pour vous trouver un mari ou bien prendre le voile afin de servir notre Seigneur.

C'est bien par pitié pour la défunte mère de Lydia que les Carmélites continuaient de tolérer ce comportement. Mais la rebelle ayant maintenant seize ans, il était temps de la rame-ner à l'ordre.

Pour Lydia, l'amour pouvait bien attendre et le bon Dieu encore plus! Elle rêvait de vivre des aventures, de défendre des valeurs de justice et d'aider les démunis. Cependant, elle aurait préféré le faire à dos de cheval et avec son épée plutôt qu'avec un chapelet et une cornette sur la tête! S'enveloppant des rideaux pourpres ornant sa fenêtre, elle s'imaginait en chevalier d'Avignon, défendant la veuve et l'orphelin et protégeant l'Église contre l'influence du mal et des manipulateurs. Ces chevaliers existaient-ils toujours? Leur légende était cependant bien vivante et faisait rêver l'orpheline aux nobles aspirations. Face à l'ultimatum de mère Anna Maria, une évidence s'imposait : Lydia devait s'évader d'ici!

****

Le jour se levait mais Lezardo n'avait pas fermé l'œil de la nuit. Il entendit la porte de sa chambre s'entrouvrir. Il fit mine de dormir. C'était Richard qui était venu jeter un dernier regard sur l'être étrange qui était peut-être l'élu.

– Prends garde et sois toujours à la hauteur des espoirs que le monde placera en toi, chuchota-t-il de peur d'éveiller Lezardo.

Quelques instants plus tard, les chevaliers se mirent en route. Lezardo se sentait totalement laissé à lui-même. Quand il pensa à Richard, à Djiangorata et à Leonardo, une larme serpenta sur le relief écaillé de sa joue pour la première fois de sa toute jeune existence.

****

Les premières lueurs du jour naissant apparurent dans la fenêtre du cachot; cela annonçait le début d'une autre journée de peine et de souffrances. Djiangorata était dépassé par les événements. Cela faisait déjà un bon moment qu'il avait les pieds et les mains enchaînés, et les seuls instants où il n'était pas confiné au trou, c'était une autre torture impitoyable qui l'attendait dans une salle peuplée d'instruments sadiques.

Un peu plus tard, un homme étrange vint le visiter. Ce dernier lui posa plusieurs fois les mêmes questions.

– Qui sont vos complices? D'où venez-vous? Pourquoi avez-vous assassiné les scientifiques? Qu'y avait-il au château d'Amboise? On y a retrouvé des fragments d'œuf. Qu'avait-il de particulier, cet œuf? Vous avez pratiqué la magie noire avec Da Vinci? Si vous ne parlez pas, vos comparses seront assassinés dès leur arrestation!

Machiavelli lui proposa à maintes reprises la vie en échange d'une confession. Mais Djiangorata resta de marbre, lui adressant la parole dans le dialecte de sa tribu.

L'œuf semblait les préoccuper. Qu'était-il arrivé? Et qu'avait-il de si important? De quels complices l'homme parlait-il? Allait-il pourchasser ses tortues magnétiques? Cette pensée le fit sourire malgré la douleur.

« Pauvre imbécile! songea Djiangorata. Tout cela pour un simple œuf de reptile qui ne sera d'aucune utilité à quiconque en possédera les reliques. Les gens de ce monde sont fous! »

– Vous parlerez ou vous mourrez. Je vous laisse la journée pour réfléchir à ma proposition… sale bête!

Machiavelli quitta les lieux, le regard incroyablement menaçant.

Heureux d'avoir été épargné, Djiangorata ferma les yeux et se mit à méditer. Mais bientôt, le calme fut rompu par des cris.

– Lâchez-moi! Vous me faites mal!

Les plus sataniques des prisonniers étaient sous le choc; ils n'avaient jamais rien vu de tel. Même les soldats étaient effrayés par la bête qu'ils enfermèrent tout juste à côté de Djiangorata. Leur seule envie était de mettre à mort cette ignominie de la nature, mais les médecins de l'Inquisition tenaient à ce qu'elle reste vivante afin de la questionner et de l'étudier avant son exécution.

Le portrait était hallucinant : un énorme lemming, qui mesurait environ 1,25 mètre, parlait comme un humain mais avec un accent scandinave. Cela n'empêcha pas l'animal de sursauter à la vue de Djiangorata, son nouveau compagnon. En constatant que l'immense rongeur avait très envie de parler, Djiangorata lui montra des yeux les gardes, lui faisant comprendre qu'ils échangeraient après leur départ. La créature resta tranquille pendant qu'on l'attachait au mur du cachot. Puis les soldats s'éloignèrent.

Aussitôt, le lemming se mit à questionner son compagnon :

– Vous êtes du Nouveau Monde?

Djiangorata hocha la tête.

– C'est formidable! C'est la première fois que j'aperçois un spécimen de là-bas. Votre peau est-elle brune partout?

Djiangorata soupira en répondant par l'affirmative.

– Êtes-vous un sorcier? Pouvez-vous nous faire sortir d'ici?

– Si c'était le cas, cela ferait un bon moment que je ne pourrirais plus dans ce trou!

L'animal fut sidéré. L'indigène savait parler et s'exprimait en espagnol, par-dessus le marché.

– Avez-vous rencontré Colomb? Comment va ce vieux pote? Pourquoi êtes-vous ici?

– Trop long à expliquer… rétorqua Djiangorata, excédé par cet être si exubérant dans ce lieu si lugubre.

– Je suis Ian Hissberg dit Ian le Lemming! Vous devez sûrement vous demander d'où me vient cette apparence? Je suis un scientifique, un inventeur de la Scandinavie. J'ai longtemps été la risée de mon village, car mes réalisations n'étant pas toujours au point ni très utiles. Cependant, ma plus grande invention et, surtout, par malheur, ma plus secrète – par peur d'une consécration totale au sein du panthéon des idiots de mon village – fut mon embarcation submersible qui permettait d'explorer les fonds marins. À ma première plongée, je fus capturé par des sirènes qui, pour me punir d'avoir profané leur territoire, me jetèrent un sort. Je me suis réveillé, sur la berge, détrempé et sous la forme de l'énorme lemming que vous voyez.

«Je n'étais plus bon qu'à faire la tournée dans les cirques du pays à titre de curiosité. Je ne voulais pas montrer aux villageois ce qu'il était advenu de moi. Quand ceux-ci trouvèrent les débris de mon embarcation sur le littoral, ils conclurent que j'étais mort, tout simplement, moi qui avais pourtant enfin réussi! Et ma présence au sein du cirque Trolsk a pris fin hier soir lorsque pendant le spectacle à Rome, un dénommé Vulturio, de l'Inquisition, m'a fait arrêter... en plein milieu de mon numéro, un sublime extrait de l'Odyssée d'Homère. Vous connaissez Homère? »

Djiangorata avait écouté avec intérêt le discours du lemming. Ce moulin à paroles venu du Nord serait son prochain ami, enfin... pour le temps qu'ils passeraient ensemble.

****

Lezardo mit un chapeau et un grand manteau. Il prit soin d'apporter la lunette de Djiangorata. C'était décidé : il quittait le château d'Avignon pour aller sauver son créateur! Le soleil venait de se coucher. Lezardo marchait dans la cour; il se rendrait sur le toit de l'écurie, duquel il s'échapperait de l'enceinte. Son pas était nerveux.

– Où vas-tu, Lezardo? murmura une voix dans la pénombre.

– Chevalier Philippe! s'exclama le reptile. Vous n'êtes pas encore couché?

– À mon âge, je dors autant le jour que la nuit, mon somnifère ayant pour nom l'ennui. Lezardo, je n'ai jamais cru à cette histoire d'enfant malformé et abandonné. Vous êtes celui que la prophétie a annoncé, j'en suis certain. Depuis votre arrivée, Richard n'est plus le même. Les chevaliers d'Avignon revivent; ils sentent à nouveau l'appel du devoir. Je savais que vous nous quitteriez car telle est votre destinée, jeune homme. Voici une carte et de l'argent pour vous permettre de survivre jusqu'à votre arrivée à Rome.

« Vous pourrez vous arrêter à Pise, en cours de route, au monastère des Carmélites. J'ai déjà avisé sœur Anna Maria qu'elle recevrait, tôt ou tard, votre visite. Voyagez de nuit et ne découvrez jamais votre visage... Et surtout, ne faites confiance à personne! » termina le vieux sage devant Lezardo, médusé. Celui-ci quitta ensuite les lieux promptement sans regarder derrière.

Après qu'il eut bondi sur la toiture de l'écurie, il fut fort impressionné par tous les feux qui éclairaient la ville. C'est comme si les étoiles s'étaient posées sur terre. Cela lui parut merveilleux. Il se promena d'un toit à un autre, et termina son saut périlleux dans la ruelle. Il n'avait pour se défendre que son agilité et son épée.

Cela ne faisait pas une heure qu'il déambulait dans Avignon lorsqu'un paysan cria d'une voix enragée :

– Attrapez-le, ce fumier!

Pris de panique, Lezardo courut dans la direction opposée. Mais les bruits surgissaient de partout et il se sentait cerné. Il aperçut un coin obscur jonché de tonneaux. D'un bond, il se retrouva dans un tas de paille d'où il ne bougea plus. Les paysans passèrent leur chemin... Il leur avait échappé! Mais comment avaient-ils pu l'apercevoir dans la pénombre et le prendre en chasse aussi rapidement?

Soudain, la paille se mit à bouger toute seule… Lezardo vit un jeune homme essoufflé et échevelé sortir de ce refuge improvisé.

– Qui êtes-vous? demanda Lezardo.

– Ne me faites pas de mal! implora l'individu. Je vais tout rembourser, tenez! ajouta-t-il en jetant des pièces d'or sur le reptile.

– Je ne veux pas de votre argent. C'est donc après vous que les gens en ont?

– C'est exact. Je m'appelle Michel de Nostredame et je suis à Avignon pour étudier l'art. Depuis mon jeune âge, j'ignore pourquoi mais je réussis à prédire l'avenir. Ce soir, j'ai poussé ma chance un peu trop loin.

« Chaque jeudi, les malfrats du village organisent des combats de coqs et prennent des paris. Monsieur Delagrave, un important vendeur d'étoffes, a remarqué à quel point je misais toujours juste sur l'issue des affrontements. Il m'a engagé, me donnant un petit pourcentage de ses gains en échange de mes prédictions. J'en avais assez de cette maigre pitance et j'ai parié ce que j'avais sur le perdant. Plusieurs ont fait de même, incluant mon patron. J'étais de mèche avec Christophe, un jeune écuyer qui, lui, a tout misé sur l'autre animal. Il a donc mis à sac tous les parieurs. Alors que mon complice et moi nous nous partagions la cagnotte, quelqu'un nous a surpris.

Mais vous, qui êtes-vous? Pourquoi vous cachez-vous le visage? »

– Je m'appelle Lezardo, dit le reptile en tendant une main gantée à son interlocuteur.

Dès qu'il toucha la main offerte, le jeune fugitif fut glacé de terreur.

– Mais vous êtes… mort! Comment se fait-il? Oh mon Dieu! Da Vinci!

Michel de Nostredame avait perçu cette information. Mais il ne comprenait pas ce qu'elle recelait.

– Ce serait plutôt long à expliquer et ici, ce n'est pas l'endroit idéal, répondit Lezardo.

– Allons au cimetière. À cette heure, personne n'ose y mettre les pieds.

Le cimetière était effectivement désert. Les villageois craignaient particulièrement l'endroit les soirs de pleine lune. Michel, pour sa part, en avait fait un lieu de prédilection. Il s'était aménagé une cache dans l'un des mausolées tout au fond du terrain. Il y entrait par une ouverture à l'arrière de celui-ci, grâce à une pierre mal cimentée. C'est là qu'il rédigeait ses travaux, qu'il notait ses observations sur les astres et le futur. Aucun danger de se faire surprendre puisqu'il y avait plus de dix ans qu'aucune dépouille n'avait été placée dans le mausolée. De toute façon, Michel savait qu'il ne se ferait pas prendre car tout ce qu'il voyait, normalement, arrivait.

Depuis son tout jeune âge, il avait le don d'anticiper les événements et de retourner dans le passé, simplement en prenant la main d'un sujet.

– Mais tu sais, un jour, j'arrêterai de me cacher et de me sauver. Je serai un homme de science reconnu et on m'appellera Nostradamus! déclara-t-il avec fierté dans le mausolée à l'air vicié et éclairé par trois chandelles. Mais dis-moi, l'endroit ne t'effraie pas trop?

–Je connais bien les morts, tout comme la dissection de cadavres. Euh... en fait, c'est Leonardo qui...

–N'ajoute rien et donne-moi tes mains, commanda Michel à Lezardo.

Michel ferma les yeux. Tout allait très vite dans sa tête. Les images se bousculaient et semblaient n'avoir aucun sens. Une plage, des images, une immersion dans l'eau, la noirceur... Puis Leonardo Da Vinci! Son œuvre, ses mots, sa mort... un éclair et Avignon!

– Tu n'étais pas destiné à naître et pourtant, de nombreuses personnes t'attendent ou bien te craignent. Étrange, tout ça, d'autant plus que je suis incapable de lire ton avenir. Tout est flou.

– Je ne suis pas vraiment humain, expliqua Lezardo en enlevant son couvre-chef et son foulard.

La peur de Michel rivalisait avec l'étonnement. Un visage écaillé avec des yeux directement venus de l'enfer surmontait un corps musclé et une queue ornée d'épines qui remontaient jusqu'à la nuque de cet être unique.

– Que fais-tu à Avignon?

– J'ai fui le palais des Papes car je dois aller sauver mon créateur qui a été fait prisonnier à Rome. On m'a donné une carte et une adresse à Pise, mais j'ai très peu de ressources.

– Je t'aiderai, déclara Michel. Je ferai un bout de chemin avec toi. Tu sais, avec ce qui m'est arrivé ce soir, je devrai me faire oublier un peu, ajouta-t-il en riant.

Après avoir repris son sérieux, il questionna son compagnon :

– Tu viens donc du Nouveau Monde? Comment est-ce? Est-ce qu'on y étudie les astres comme ici?

– Le soir venu, mon créateur consultait souvent ce dessin, dit Lezardo en empruntant une sanguine et une feuille de papier à son hôte.

Il dessina une illustration très complexe mais pourtant très répandue dans la culture des Mayas.

Michel tenta de comprendre ce que cela signifiait.

– C'est une séquence représentant un calendrier qui se termine en 2012, soit dans moins de cinq cents ans. Ce serait la fin en 2012?

Se projeter sur des centaines d'années dépassait un peu les dons du jeune scientifique. Mais il se jura de parvenir à voir le plus loin possible dans le temps.

– Nous partirons la nuit prochaine, le jour risquant de ne nous apporter que des ennuis.

****

– Lezardo a disparu! s'écria un chevalier dans la cour intérieure du palais.

– Laisse tomber, soldat! dit Philippe. C'est sa destinée et tu ne peux rien y changer. Tu lui causerais beaucoup de tort si tu le prenais en chasse. Va plutôt annoncer à Pise que Lezardo est parti rejoindre Richard à Rome. L'élu est en liberté! se réjouit-il, tout heureux d'être témoin de la prophétie et surtout d'y avoir toujours cru, lui qui n'avait jamais tenu compte des qu'en dira-t-on.

Philippe avait participé à la battue qui avait mené à la capture du gardien du sceptre d'Adder. C'est sous ses ordres que Charles le Balafré avait rapatrié la pierre maléfique. Mais la plupart des gens ne voyaient en ce symbole qu'un affrontement entre l'Église catholique et l'Église orthodoxe russe. Cette pierre représentait l'enjeu et ornait le sceptre que se prêtaient tour à tour Ivan et le chef de l'Église du pays. Les peuples occidentaux craignaient ce nouvel et dangereux empire, et surtout les peuples barbares qui s'étaient alliés à lui.

Mais au fond de lui-même, Philippe croyait qu'il s'agissait d'un affrontement entre le bien et le mal qui avait débuté dès le Moyen Âge avec le concile de Latran en 1215, où avaient été convoquées toutes les instances de l'Église en plus des ambassadeurs de l'empereur d'Orient. L'un de ces derniers, Yutsan Dieng, représentait un curieux ordre appelé Adder qui soutenait des théories sur l'équilibre entre le bien et le mal. Tous le craignaient même s'ils ne savaient pas trop pourquoi. Croiser son regard donnait froid dans le dos et ses déclarations frôlaient l'hérésie. Innocent III, le pape de l'époque, avait demandé à ce qu'il soit expulsé de la réunion. À sa sortie, il avait juré de se venger de l'Église.

La nuit venue, Innocent III avait été en proie à un délire si intense qu'on avait dû convoquer l'exorciste du Vatican. À la fin du rituel, le pape hurla : « *D'outre-mer, arrivera le malheur. Un enfant né de la foudre et dont la peau noire résistera à l'épée. Il portera la bête et le savoir de l'humanité en lui. Il terrassera le sombre temple le sixième jour, à la sixième heure, le jour de l'équinoxe.* » À son réveil, Innocent III n'avait aucun souvenir de ce qui s'était passé. Un jeune page avait tout noté dans le détail et retranscrit la prophétie qui s'était propagée à une vitesse folle auprès des instances spirituelles du temps.

Le Vatican avait réfuté toute l'affaire en affirmant que le pape avait été victime d'une indigestion et qu'aucune prophétie n'avait été révélée. Le page avait été congédié sur-le-champ et s'était suicidé… selon la version du Vatican.

XI

TRAHISON

LA PAILLE DU mausolée n'avait rien à voir avec le confort du palais des Papes qui ne se trouvait qu'à quelques centaines de mètres de là. Cependant, la nuit fut très tranquille.

– Je vais au marché, Lezardo, annonça Michel tôt le matin. À cette heure, je ne risque pas de rencontrer mes ennemis, d'autant plus que j'ai toujours porté cette fausse moustache et ce vieux chapeau en leur compagnie. Attends-moi ici et ne bouge surtout pas.

De Nostredame acheta le strict nécessaire au marché. Il avait un mauvais pressentiment, mais depuis sa rencontre avec Lezardo, son sens de l'anticipation était altéré.

– Vous l'avez vu vous aussi? lança une boulangère à une paysanne.

– Oui. Il était tout de noir vêtu et sautait d'un toit à l'autre. J'ai avisé les soldats du roi. On aurait cru un monstre, une créature du diable.

Michel n'avait pas de temps à perdre. Il était déjà sept heures et il devait passer chez lui prendre des vêtements de rechange en prévision de son périple. Il monta à la chambre qu'il louait d'un vieux boucher véreux. Contrairement à son habitude, celui-ci l'accueillit avec un large sourire.

– Bonne journée à vous, monsieur de Nostredame!

– À vous aussi, monsieur Mortadelle! répondit-il nerveusement.

À peine eut-il franchi le pas de sa porte que deux fiers-à-bras s'emparèrent de lui. Pour une des rares fois de sa vie, le visionnaire n'avait pas prévu le coup.

– Bonjour, Michel! Je suis venu chercher ma part du lion.

De Nostredame avait toujours caché à son employeur son lieu de résidence. Mais monsieur Delagrave savait protéger ses arrières. De plus, il avait flairé l'arnaque à la vue de cette fausse moustache qu'arborait Michel, ou plutôt Jean-Jacques comme le jeune homme se faisait appeler par les parieurs.

- Vous êtes peut-être un artiste, mais dans l'art de tromper les gens, vous êtes d'une médiocrité, mon cher!

– Ce n'est pas ce que vous croyez! Je me suis réellement trompé.

Delagrave se leva de la chaise sur laquelle il avait patiemment attendu le voleur.

– Vous mentez encore, mon cher. Nous avons capturé votre complice qui nous a tout avoué. Mes hommes vous passeront à tabac... à moins que vous n'ayez de quoi me payer sur-le-champ. Si tel n'est pas le cas, je révélerai votre véritable identité à tous les parieurs furieux. Et à ce moment, vous ne serez pas mieux que mort.

Michel savait qu'il ne pouvait montrer sa cachette, et que personne ne devait voir son nouveau compagnon. Mais devant son incapacité temporaire à prévoir les événements, il se sentait totalement démuni.

– Suivez-moi, dit-il.

****

L'odeur des marguerites et le chant des oiseaux avaient quelque chose d'apaisant. Lezardo attendait patiemment Michel, mais il était attiré, tel un aimant, par toute cette vie qui prenait place paradoxalement dans un cimetière. Et puis, ce n'était pas une promenade à cette heure matinale qui alarmerait qui que ce soit. Par précaution, Lezardo prit la petite bourse de cuir remplie de pièces d'or, le controversé butin de son ami.

Il sortit par le trou dans le mur de pierre à l'arrière du mausolée et marcha lentement sous les saules dans la vieille partie du cimetière. L'air était bon, tout comme cette toute nouvelle liberté. Il se mit à lire les épitaphes sur les pierres tombales jusqu'à ce qu'il fût attiré par l'étrange masse noire placée juste en face de l'une d'elles.

Dès six heures du matin, Blanche Durand venait visiter la tombe de son mari disparu il y avait maintenant vingt-cinq ans. Le visage voilé de dentelle noire, elle portait fidèlement le deuil depuis ce temps. Elle avait encore une certaine vigueur à l'aube de ses quatre-vingts ans. Agenouillée devant la pierre tombale de son cher disparu, la vieille dame au dos recourbé était perdue dans ses pensées.

– Si tu savais combien tu me manques, Gustave! Madame Héron n'a toujours pas payé son loyer et monsieur Ducas ne va pas très bien depuis la mort de sa femme. Le pastis ne lui réussit plus du tout. Malgré ses avances, je te serai toujours fidèle. Notre Père qui êtes aux cieux… Délivrez-nous du… Mon Dieu! Aaaaah!

Un cri de terreur se fit entendre à des lieues à la ronde. Puis l'octogénaire perdit conscience à cause du choc. Lezardo comprit alors toute la portée de l'avertissement de Michel.

– Qui va là? cria le fossoyeur du cimetière, alerté par le hurlement.

Il aperçut la grande silhouette au regard terrifiant. « Ciel! Belzébuth est parmi nous. La vieille Durand est en péril! »

Après avoir piqué vers les saules, Lezardo aperçut Michel, accompagné de trois personnes dont deux hommes costauds à l'air menaçant. Paniqué, il se dirigea en courant dans les bois derrière le lieu de sépulture, ses jambes se déplaçant à une vitesse impressionnante. Michel et les autres virent Lezardo.

– Mais qui est ce monstre? demanda Delagrave.

– Cela ressemble à la créature décrite par des boulangères ce matin, fit Michel.

– L'Église paierait un bon prix pour sa capture et avec votre don, nous la trouverions aisément. Désirez vous que j'annule votre dette, cher ami?

– Certainement! répondit de Nostredame qui venait de constater dans le mausolée que Lezardo avait emporté sa bourse.

****

Quelques chandelles éclairaient le réfectoire du monastère des Carmélites. Trois hommes fatigués dévoraient leur repas en pensant à la longue route qui les mènerait à Rome les jours suivants.

– Croyez-vous vraiment qu'Adder prendrait pour cible le Vatican? demanda mère Anna Maria. Ne jetterait-il pas plutôt son dévolu sur les empereurs et les chefs d'État?

– La moitié de la civilisation moderne est catholique, ma sœur. Contrôler les croyances, c'est contrôler le monde. Si Adder réussit son coup, le mal et la terreur régneront jusqu'au Nouveau Monde. Nous devons d'abord savoir si l'indigène est coupable ou non de ce qu'on lui reproche. Advenant son innocence, il faudra démasquer le ou les véritables responsables.

Pour une rare fois, Lydia portait une robe. Ayant appris la venue des chevaliers d'Avignon, elle avait offert d'aider à la cuisine. Elle écoutait religieusement la conversation. Elle apporta du vin et des serviettes. Appréciant ce moment quasi magique, la jeune fille ne put s'empêcher d'intervenir :

– Et s'il s'agissait de la prophétie? Et l'indigène dont vous parlez, a-t-il la peau noire?

Abasourdis, les chevaliers et la religieuse regardèrent la jeune fille.

– Mais qui est cette jeune impertinente? maugréa Richard.

Sans laisser à la mère supérieure le temps de répondre, l'effrontée déchira sa robe, ce qui révéla une chemise, un pantalon de cuir, de grandes bottes et une épée.

– Lydia, pour vous servir, chevalier! Je sais manier l'épée, monter à cheval et j'ai à cœur la mission des chevaliers d'Avignon! *Spes in fides, pacis in verum!*

Le silence fut remplacé par les énormes éclats de rire des chevaliers.

– Ma mère, vous ne m'aviez pas dit que vous appreniez le théâtre à vos novices! plaisanta Richard.

Puis il s'adressa à Lydia :

– Jeune fille, laissez ce travail à des hommes et retournez à vos fourneaux. Et, de grâce, cessez de croire aux légendes!

L'humiliation était complète. Lydia avait une envie folle de servir aux chevaliers son épée comme plat de résistance. Mais elle s'en retourna sans dire un mot, le regard fixé sur le sol et le visage rougi. Son rêve était brisé à jamais. Tant d'années gaspillées... Elle s'était trompée. Était-ce un signe de Dieu lui demandant de rester au couvent? Elle regagna sa minuscule chambre, ouvrit sa penderie, y décrocha son chapelet et y suspendit son pantalon et son épée. Son rêve de devenir chevalier était terminé.

Le lendemain, les trois hommes quittèrent le couvent. Peu de temps après leur départ, un messager à cheval s'arrêta à l'abbaye.

Il demanda à voir la sœur supérieure.

– Bonjour, mère Anna Maria. Je vous apporte un message de la plus haute importance. Il vient de Philippe d'Avignon...

****

– Saviez-vous qu'une fois que l'eau est gelée, son volume augmente?

Ian le Lemming dissertait sans cesse sur ses connaissances, au grand dam de Djiangorata qui commençait à s'inquiéter sérieusement de son sort.

Des bruits de pas se firent entendre. Machiavelli était de retour, accompagné de ses sbires.

– Sortez ce rat d'ici. J'ai à m'entretenir avec le Sauvage.

Tout en parlant, Machiavelli arpenta lentement la cellule sombre et lugubre qui servait de demeure à Djiangorata depuis maintenant des semaines.

– Demain s'ouvrira votre procès. Vous serez formellement accusé de l'assassinat de sept scientifiques par empoisonnement et magie noire. Vous serez déclaré coupable et brûlé sur le bûcher dans les jours qui suivront. Je peux vous éviter tout cela. Pour ce faire, vous devez me révéler où se cache votre complice.

Djiangorata afficha un air étonné. Un complice? Machiavelli parlait-il de Paulo?

– Vous savez très bien de qui je parle, n'est-ce pas? Où se trouve cette créature?

– Je n'ai aucun complice! répondit Djiangorata, excédé.

Soudain, Machiavelli, comme s'il était possédé, se retourna. Les traits transformés et les yeux rouge vif, il dit, d'une voix caverneuse qui ne ressemblait pas à la sienne :

– Vous mentez! Et vous mourrez pour cet affront!

En fuyant le Nouveau Monde, Djiangorata n'avait finalement que prolongé son agonie. N'aurait-il pas mieux valu périr sous le glaive des barbares de son pays plutôt que de ceux d'Italie?

Le visage maculé de sang, Ian revint dans la cellule. Il resta silencieux et évita le regard empathique et révolté de Djiangorata. La seule once de joie et d'espoir dans cette lugubre prison s'était envolée. Malgré les explications de la pauvre bête, Vulturio s'obstinait à faire de lui une cible à abattre. Le cardinal avait-il le choix? Comment le genre humain, conçu à l'image du Créateur, pouvait-il tolérer pareil animal? Et cette histoire de sirènes avait scellé le funeste destin du lemming. On ne pouvait courir le risque que ces balivernes se répandent, fût-ce à la prison.

– Nous sortirons d'ici, mon ami, vous verrez, fit Djiangorata même s'il savait très bien que la réalité serait tout autre.

****

Lezardo hésitait entre retourner auprès de Michel pour lui remettre son dû et voler au secours de Djiangorata. Il marchait dans les boisés en bordure de la route, songeant qu'il finirait bien par revoir son nouvel ami.

Soudain, il entendit une mélodie d'accordéon qui fut vite remplacée par des cris de désespoir.

– Lâchez-moi, bande de lâches! cria un vieillard.

Celui-ci, un aveugle, jouait de son instrument pour gagner sa maigre pitance. Des jeunes voyous l'avaient attaqué.

– Laissez cet homme tranquille! ordonna Lezardo aux voleurs, étonnés d'avoir été surpris sur cette route déserte à une heure aussi matinale.

– Ne te mêle pas de cela, étranger! intima le plus musclé du groupe.

– Vous l'aurez voulu! répondit Lezardo qui tira son épée de son fourreau et enleva son couvre-chef.

Les brigands étaient sous le choc, car pour eux ce genre de créatures n'existait que dans les légendes. Après un échange musclé, pendant lequel les trois hommes semblèrent avoir l'avantage, Lezardo, d'un seul coup de queue, repoussa ses adversaires de quelques mètres. Les voyous s'enfuirent, terrorisés.

Lezardo accourut vers la victime. Il ramassa la paire de lunettes aux verres foncés destinée à cacher les yeux aveugles du vieillard.

– Accepteriez-vous de me vendre vos lunettes? demanda Lezardo qui voyait là un bon moyen de dissimuler ses yeux rouges et exorbités.

– Elles sont à vous, chevalier. Je vous dois la vie.

– Prenez ceci, vieil homme, dit Lezardo en remettant à son interlocuteur une pièce d'or du butin de Michel, croyant que ce dernier comprendrait.

– Comment vous appelez-vous, mon brave?

– Lezardo Da Vinci, répondit le reptile avant de reprendre son chemin.

– Dieu vous bénisse! Vous avez fait preuve d'une grande humanité!

Lezardo sourit devant l'ironie involontaire du compliment. Il s'était comporté en chevalier d'Avignon et se sentait galvanisé par son exploit. Mais il devait poursuivre sa mission. Il marcha d'un bon pas. Après un tournant, la ville de Pise se profila à l'horizon.

****

– Mais comprenez-vous à quel point votre accusation est grave, Paulo? s'écria l'homme au masque de porcelaine. Vous accusez un homme d'Église, un cardinal par surcroît, de plusieurs meurtres!

– Je vous assure, cher bienfaiteur, que le coupable est Vulturio! Cet homme a travaillé pour moi et il a quitté mon auberge le jour de notre rencontre.

Le mépris que l'Inquisition portait aux scientifiques pouvait justifier une certaine haine, mais certainement pas de là à pousser quelqu'un à commettre des assassinats.

– Croyez-vous que le pape soit impliqué dans l'histoire, Paulo?

– Mon flair m'indique le contraire. Je ne crois pas que Léon X serait assez fou pour utiliser un cardinal dans sa garde rapprochée. Et avec Machiavelli qui le manipule à sa guise, le pauvre homme a sûrement peu – sinon aucune – conscience de ce qui se passe actuellement.

– Heureux de vous l'entendre dire, cher ami…

Le bienfaiteur cacha son indignation d'être aussi peu estimé par Paulo. Mais l'aubergiste avait peut-être raison au fond, car un berger égaré mène un troupeau qui l'est tout autant.

– Laissez-moi voir ce que je peux faire pour sauver l'indigène, reprit-il. Son procès débute demain. Je vous recontacterai en temps et lieu.

À Rome, les rencontres avec le bienfaiteur avaient toujours lieu dans le confessionnal d'une vieille église du nord de la capitale, Santa Maria del Popolo (Sainte-Marie-du-Peuple). Ce symbole religieux moderne et monothéiste avait remplacé sur la place du Peuple le mausolée de Néron, issu d'un empire amoral et débauché selon l'Église contemporaine.

Léon X commençait à réaliser l'étendue du prix à payer pour être souverain pontife. Son père avait usé de toute son influence pour le conduire au sommet, concluant même des pactes avec d'étranges hommes de foi qui manifestaient une plus grande dévotion au pouvoir et au mal qu'à Dieu. Lors de son élection au titre de prélat de l'Église, ses rivaux avaient-ils effectivement été assassinés? Plusieurs clans s'opposaient à l'époque. « Le pouvoir n'est-il pas finalement qu'une machette, esclave du chemin qu'elle sert à défricher, ne tenant nul compte de la valeur des arbres qu'elle coupe sur son passage? » s'interrogea-t-il.

Vulturio opérait sous les ordres de Machiavelli. Donc, s'il était le meurtrier, Nicolas était impliqué. Ou bien le cardinal aurait-il agi de son propre chef? Comment se faisait-il qu'en la présence de Machiavelli, Léon X endossait totalement chacun des conseils de celui-ci? Dans la diligence qui le ramenait au Vatican, le pape éprouvait de sérieux doutes.

****

Il était dix heures du soir quand Machiavelli se présenta dans les quartiers de Sa Sainteté. Léon X affichait une assurance inhabituelle. En évitant de regarder son interlocuteur dans les yeux, il déclara :

— Nicolas, je tiens à assister au procès de l'indigène.

Machiavelli rit nerveusement.

— Votre Éminence, ne perdez pas votre temps avec ce procès. L'indigène n'est qu'une crapule de plus qui rejoindra les malfrats de son espèce en enfer... à condition qu'il ait une âme à faire brûler, animal qu'il est!

— Mais alors, expliquez-moi donc comment un animal si primitif peut mettre fin aux jours de sept individus triés sur le volet et dispersés aux quatre coins de l'Europe? Quel serait son mobile?

— Les Espagnols suscitent beaucoup de haine en asservissant les peuples du Nouveau Monde et en prenant possession de leurs biens. Révoltés par notre société à l'avant-garde du progrès, ils ont décidé de s'en prendre à nos scientifics. Ce sont des… des terroristes! Dès que j'ai appris la présence de l'étranger sur notre continent, j'ai lancé Vulturio à ses trousses. Mais le pauvre est arrivé trop tard…

Le pape ne réagit pas.

– Demain, si vous le désirez, vous assisterez au procès mais d'une des corbeilles entourant l'enceinte, proposa Nicolas. Vous montrer publiquement ne ferait qu'attirer la curiosité du peuple et accorder de l'importance au meurtrier. Vous n'assistez jamais aux procès menés par l'Inquisition. Et vous savez qu'un peuple préoccupé est un peuple qui doute. La foi ne peut survivre au doute.

Léon X acquiesça.

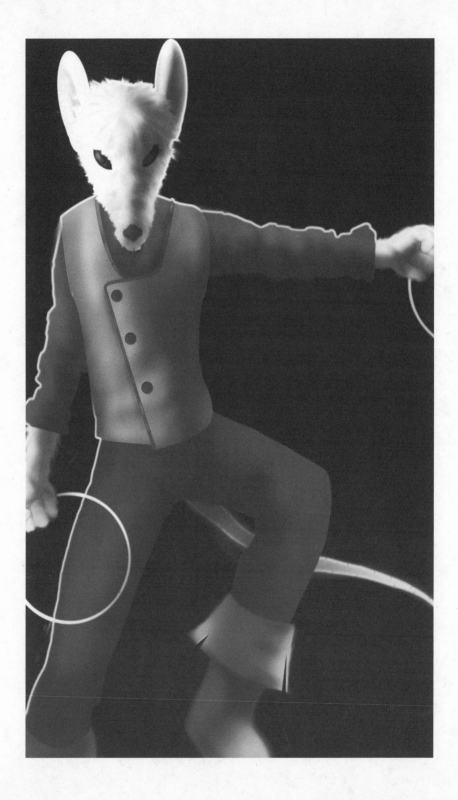

XII

RENCONTRES, BRAS DE FER ET COMPAGNIE

MAIS COMMENT ACCUEILLIR l'étrange personnage sans alerter qui que ce soit? La mère supérieure convoqua Lydia, la seule novice apte à l'aider dans cette histoire.

– Le chevalier Philippe d'Avignon nous envoie un de ses amis, un grand voyageur. Notre invité souffre d'une rare et grave infirmité. Vous le servirez lors de son séjour ici. Cela ne devrait pas trop impressionner un garçon manqué comme vous, lança la sœur qui avait perdu son air placide habituel.

Ridiculisée la veille, la jeune fille ne savait quoi penser de cette proposition. La situation devait être désespérée pour qu'on fasse appel à celle dont la cause l'était tout autant.

La mère supérieure poursuivit :

– Il s'appelle Lezardo. Surtout, ne lui posez aucune question sur ses origines ni sur son apparence... Et gardez vos rêves de cape et d'épée pour vous cette fois.

Anna Maria aimait bien Philippe à une certaine époque. Celui-ci, de vingt ans son aîné, lui avait promis de la prendre pour épouse jusqu'à ce que ses délires de prophéties et de sociétés occultes prennent le dessus sur tout.

Elle était entrée au couvent lorsque son chevalier était parti démanteler l'Ordre d'Adder en Turquie. Il avait rapporté à Rome un drôle de caillou noir rougeâtre et lisse, sans le moindre défaut. Philippe n'était plus le même. Arrogant et mesquin, il avait acquis beaucoup d'assurance. Il avait levé le nez sur elle, sa promise. La pierre avait été rapatriée au Vatican et Anna Maria avait prononcé ses vœux définitifs.

N'étant plus sous le joug de la pierre d'Adder, Philippe était redevenu lui-même. Mais le mal était fait. Il avait frappé en vain à la porte du couvent, et était revenu penaud à Avignon où il n'avait cessé de dépérir.

Le monde d'Anna Maria s'était effondré il y avait plus de quatorze ans. Philippe avait-il eu raison à propos de la prophétie? Selon toutes les apparences, la légende était véridique. Était-ce l'élu qui venait de fouler le porche du monastère?

****

130

Lydia tenait un plateau rempli de victuailles spécialement préparées pour l'invité. Elle entra dans une pièce ayant pour seul éclairage le feu qui dansait dans le foyer au fond de l'enceinte. Une silhouette assise lui faisait contre-jour. Elle déposa le repas sur la table.

– Je vous remercie, dit Lezardo en se retournant.

Le regard de Lydia brillait de mille feux, mais cette dernière ne pouvait voir celui de son vis-à-vis car il portait des verres fumés. Lezardo fut abasourdi par l'aspect de la jeune fille. Elle avait tant de ressemblances avec Mona-Lisa, celle qui l'accompagnait en rêve depuis son arrivée en ce bas monde.

– Comment s'appelle votre mère? demanda-t-il.

– Ginevra, répondit Lydia, intriguée. Je suis orpheline. Ma mère est morte en me mettant au monde et je ne connais pas mon père.

Lezardo ne connaissait que le visage de Mona Lisa; il ne possédait aucune information à son sujet. Leonardo Da Vinci ne lui avait pas dit que Mona Lisa Gherardini avait une jeune sœur du nom de Ginevra qui avait perdu la vie en donnant naissance à une fille, seize ans auparavant.

De curieux sentiments s'emparèrent de Lezardo. Il mit le tout sur le compte des émotions qu'il avait vécues les deux derniers jours. On lui avait appris que les femmes ne racontaient que des sornettes et qu'elles n'étaient bonnes qu'à faire des enfants et à servir leur mari. Il éprouvait cependant une irrésistible envie de parler à la jeune fille.

– Si vous avez besoin de quoi que ce soit, sonnez cette clochette, indiqua Lydia. Je serai juste à côté.

Lezardo ne put qu'articuler un timide merci.

Tout le secret entourant la visite de Lezardo intriguait énormément Lydia. Sur la chaise à côté de la porte reposaient la cape du visiteur, son épée et son fourreau. L'emblème des chevaliers d'Avignon brillait sur celui-ci. La servante se retourna lentement. Elle sentait que Lezardo ne l'avait pas quittée des yeux.

– Que faites-vous ici? chuchota-t-elle.

Avant même que Lezardo ait eu le temps de répondre, la porte s'ouvrit. Sœur Anna Maria mit fin à l'échange.

– Lydia, laissez-nous seuls.

La jeune fille sortit en se jurant de tirer au clair cette histoire.

****

– Nous n'aurons qu'à leur vendre des indulgences! Payer pour construire la maison de Dieu mérite bien de se faire effacer une faute, ne trouvez-vous pas?

Léon X ne savait que penser de ce nouveau plan de Machiavelli.

– Croyez-vous vraiment que…?

– Votre Sainteté, si l'homme qui donne son manteau au pauvre mérite le royaume des cieux, imaginez ce qu'il en serait s'il l'offrait à Dieu!

– Mais, Nicolas, ne sommes-nous pas en train de revenir au règne des offrandes de l'Antiquité, où l'on sacrifiait un agneau à Dieu?

– Pas de sang versé ici, Votre Éminence. Que de la sueur pour bâtir le palais des palais pour notre Créateur!

Les deux hommes marchaient d'un pas assuré vers le tribunal d'où, du haut d'une corbeille, Léon X observerait le déroulement du procès de l'indigène.

– D'accord pour vos indulgences! Avec la grande quantité de mosquées, de synagogues et de lieux de culte de tout acabit qu'on érige en Europe, il est temps de donner aux catholiques un temple à l'image de la seule vraie religion!

Rassuré, Machiavelli se frotta les mains. Il avait rétabli son pouvoir...

****

Dans le tribunal de l'Inquisition, la foule était nombreuse. On vit entrer le curieux indigène qui mesurait à peine 1,30 mètre, un supposé meurtrier en série.

L'atmosphère était très solennelle dans la salle remplie de cardinaux et de prélats triés sur le volet, venus entendre cette invraisemblable cause d'un tueur de scientifiques originaire du Nouveau Monde. Quelques dignitaires civils s'étaient présentés en simples badauds par curiosité. Quant à la plèbe, elle n'était même pas au courant de ce qui se passait. Il y avait longtemps qu'on l'avait matée. Elle devait travailler pour gagner son ciel et laisser aux percepteurs d'impôts et aux religieux le soin de décider à sa place en échange d'un peu de pain et de quelques jeux.

Vulturio se comportait tel un coq dans une basse-cour, fier de sa prise et soulagé que celle-ci porte l'odieux de son geste.

Déjà installé au centre de la pièce, Djiangorata leva la tête au moment où Vulturio se mit à lire l'acte d'accusation.

– Homme venu du Nouveau Monde, vous êtes formellement accusé d'avoir assassiné sept hommes de science par empoisonnement et magie noire. Que plaidez-vous pour votre défense?

L'écho de la voix de Vulturio dans l'immense salle donna l'impression que c'était Dieu qui venait de parler. Cela eut pour effet de réveiller les plus vieux cardinaux, déjà assoupis.

Après avoir croisé le regard de Vulturio, Djiangorata sut qu'il avait devant lui le véritable meurtrier.

– Remplacez-moi par un miroir et je plaiderai coupable! répondit-il, ce qui provoqua une certaine stupéfaction dans l'assistance.

– Cet homme sait-il parler espagnol correctement? demanda Vulturio avec ironie et un rire plutôt nerveux.

– Suffisamment pour voir et dire la vérité, rétorqua l'indigène.

– Cardinal, si vous me permettez, je crois que l'accusé plaide non coupable, conclut le père bénédictin qui tenait lieu d'avocat pour Djiangorata.

****

– Philippe est certain que vous êtes l'élu, dit mère Anna Maria sur un ton mélangeant scepticisme, cœur brisé et nostalgie. J'ai longtemps cru qu'il se trompait, mais convenez qu'il est difficile de croire à votre existence tant qu'on ne vous a pas vu!

– Je ne sais pas si je suis l'élu. Tout ce que je sais, c'est que je dois libérer mon créateur des griffes du Vatican.

Anna Maria était à la fois stupéfaite et fort touchée de voir toute la loyauté que Lezardo vouait à Djiangorata, lui qui ne le connaissait même pas.

– À Rome, rendez-vous à l'église Santa Maria del Popolo, Lezardo. Au presbytère, vous trouverez un homme répondant au nom de Paulo. Il a connu votre créateur. Lui et trois chevaliers d'Avignon vous accueilleront. En passant, Richard risque de ne pas apprécier votre visite; il déteste les imprévus. Si vous êtes l'élu, il vous faudra vaincre Adder, sans quoi toute l'Europe retombera sous le joug de cet impitoyable tyran.

– Je serai à la hauteur, ma mère… fit Lezardo sur un ton qu'il s'efforça de rendre convaincant.

Aucune formule mathématique, croquis de biologie ou théorie scientifique ne contenait ce dont Lezardo avait besoin en ce moment : du cran et du courage. Un poids immense pesait sur ses épaules et il se sentait démuni. Il savait cependant que sa loyauté envers ce père qu'il n'avait encore jamais vu faisait foi de tout et qu'il mourrait pour lui.

La lune était levée. Repu, Lezardo était prêt à reprendre la route. Afin d'éviter les ennuis, il entoura son visage d'un foulard et mit son chapeau. Il remercia Anna Maria et sortit discrètement du couvent.

Il avait parcouru à peine 100 mètres lorsqu'il entendit une voix familière.

– Vous avez quelque chose qui m'appartient... dit de Nostredame, toujours accompagné de Delagrave et de ses deux sbires.

– Cher ami, voici votre butin. Il n'y manque qu'un...

Lezardo reçut un coup en plein visage, gracieuseté d'un des gorilles de l'aristocrate qui n'entendait pas du tout à rire. Profitant de la confusion, l'autre fier-à-bras délesta Lezardo de son épée. Étourdi, le reptile gisait par terre.

– Attachez-le! ordonna Delagrave aux malfrats. Cette belle prise vaudra son pesant d'or auprès de l'Inquisition. De Nostredame, votre dette est acquittée, annonça-t-il.

– *Spes in fides, pacis in verum!* cria une voix dans la pénombre. Laissez ce chevalier, sans quoi vous en paierez le prix!

Lezardo et les quatre hommes n'en crurent pas leurs yeux. Une frêle silhouette armée d'une épée se dressait devant eux. Un fou rire s'empara d'un des géants qui engagea le combat non sans une certaine arrogance. Il goûta rapidement à la médecine de Lydia. D'un seul coup, elle transperça le côté droit du colosse. Ce dernier s'effondra, se tordant de douleur. La jeune fille ramassa l'épée de Lezardo et la lui lança. Ayant récupéré son arme et retrouvé ses esprits, il était prêt à se défendre.

L'autre gaillard semblait plus habile au combat. Il tenait dans une main un gourdin et dans l'autre une épée orientale, probablement dérobée à un Perse. Il était en mesure d'affronter à la fois Lezardo et Lydia, qu'il fit d'ailleurs tomber par terre. Lezardo sauva la jeune femme d'un coup fatal en fouettant le voyou avec sa queue épinée. Celui-ci se retrouva au sol, une énorme balafre ensanglantée marquant son visage.

– Mais faites quelque chose! ordonna d'un ton furieux Delagrave à de Nostredame.

Rongé par le remord d'avoir livré son ami, Michel lança sa bourse au visage du vil commerçant. Il aida Lydia à se lever avant de lancer à Lezardo :

– Suivez-moi, nous devons fuir et vite!

Delagrave hurla de colère :

– De Nostredame, votre traîtrise vous mènera à la mort, j'en fais le serment!

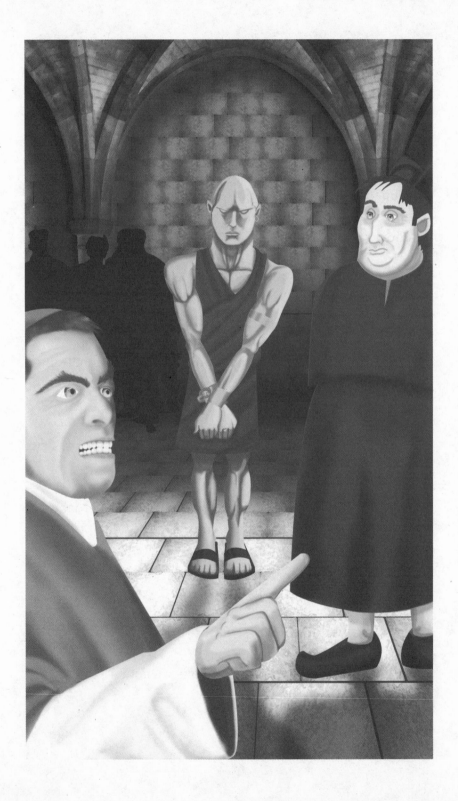

XIII

CONVOITISE ET BERLUE

PERSONNE NE PARLAIT. Les trois compagnons empruntaient des champs ou des chemins peu fréquentés pour atteindre Rome. Un mélange de méfiance et de reconnaissance envahissait le cœur de Lezardo. Michel reluquait Lydia d'une façon qui déplaisait royalement au reptile.

– Vous maniez l'épée avec une telle grâce! s'exclama Michel. Mais où avez-vous appris cet art?

Une désarmante féminité émergeait de ce garçon manqué qu'était Lydia. Malgré un clair de lune comme seul projecteur, les reflets de ce dernier sur la chevelure scintillante de la belle la faisaient rayonner. Cette pénombre révélait une silhouette parfaite, un ange qu'on aurait demandé en mariage sans aucune hésitation.

– J'ai appris le maniement de l'épée au couvent, à Pise, et je serais capable de me battre à nouveau s'il vous prend l'envie de mettre encore des bâtons dans les roues de Lezardo, répondit-elle sèchement.

Michel, loin de se sentir insulté par cette réplique, esquissa plutôt un sourire laissant présager une joute amoureuse captivante, car aucune femme ne lui résistait.

Il était cependant intrigué par le fait qu'en présence de Lezardo, ses dons de voyance étaient altérés, voire presque inexistants. N'était-ce pas au fond ce qui l'excitait dans toute cette aventure? C'était la première fois qu'il ne connaissait pas l'issue d'un événement.

Lezardo marmonna :

– Reposons-nous dans ce boisé. Je suis fatigué.

Le soleil se levait sur la Toscane. Lezardo devenait de plus en plus confus. Confus quant au sens de sa vie, aux sensations qu'il découvrait et aux limites évidentes de son apparence physique qui feraient sûrement de lui un homme de devoir plutôt qu'un homme heureux et comblé. Sa frustration et son insatisfaction étaient totales. Il s'endormit et, pour la première fois, il ne rêva pas à Mona Lisa. Elle était venue le rejoindre dans sa réalité.

****

Sur le coup de midi, des rires réveillèrent Lezardo. Michel jouait à Lydia un extrait de La mandragore de Machiavelli avec pour seule scène une immense souche sur laquelle il se tenait maladroitement. Lydia baissait sa garde, ce qui ne laissa pas Lezardo indifférent.

Michel recommençait à voir des images du futur, mais de manière floue et décousue. Son don revenait peu à peu car Lezardo s'intégrait dans le continuum du temps. Ce dernier n'était plus un intrus, un anachronisme dans le fil des événements.

Lydia, qui n'avait jusqu'alors que « fréquenté » le fils de l'intendant du couvent, ne connaissait des hommes que ce qu'elle avait appris dans des récits de chevalerie. Michel avait un côté charmeur; toutefois, il semblait paresseux et plutôt narcissique, ce qui déplaisait à la jeune fille. D'un autre côté, il y avait Lezardo, cette étrange créature dont personne ne pouvait voir le visage mais dont l'humanité et la bravoure avaient un pouvoir d'attraction évident sur Lydia. De plus, un être exceptionnel se cachait sûrement derrière celui que tous les initiés appelaient l'élu.

– Que pensez-vous de Lezardo? chuchota-t-elle à Michel.

– Si vous aimez les bêtes de sang froid, vous serez servie, souffla de Nostredame. Moi, je me méfie de lui, poursuivit-il avec un certain regret car il venait de calomnier son ami dans le seul but de séduire une femme.

– Moi, je lui fais confiance, répondit promptement Lydia.

Michel réalisa son faux pas. Une preuve de plus qu'il avait perdu son sens de l'anticipation...

****

– Ce procès est une véritable comédie! affirma Paulo, aussi fâché qu'enivré par le vin du souper. Mais pourquoi avoir fait tuer le Maestro et la crème de la Renaissance? ajouta-t-il, la voix tremblante.

Il était attablé avec ses compères d'Avignon dans le réfectoire du presbytère Santa Maria del Popolo.

– Ils ont peur de la vérité, Paulo, expliqua Richard. Le règne du Dieu qui châtie s'achève. Leonardo expliquait les orages; Alonzio, les éclipses et les sécheresses; Stratssen, les avalanches. Dieu a créé l'homme libre de son destin dans un environnement qui l'est tout autant. Malgré mon désir d'accéder à cette liberté, ce n'est pas sans crainte que j'entrevois l'avenir. Croirons-nous un jour que nous pourrons nous passer de Dieu? Que nous pourrons dominer notre environnement en faisant fi des lois universelles? Dieu est au delà d'un simple orage ou de la terre qui tremble. Celui qui tremble, c'est l'humain qui n'accepte pas cette liberté, qui la craint et qui ne veut surtout pas qu'elle soit accessible à tous.

Charles le Balafré écoutait le discours de Richard en suivant avec son index son énorme cicatrice, sinueuse comme le Tibre – le fleuve qui traverse Rome. Il avait la nostalgie des combats et des champs de bataille.

- Il y a quinze ans, nous aurions envahi la prison et aurions libéré l'indigène en moins de deux! s'écria-t-il.

– Nous sommes à Rome, Charles, et libérer Djiangorata s'avérera une tâche difficile, répondit Richard. Avez-vous envie que cette histoire se termine dans un bain de sang? Les chevaliers d'Avignon ne sont-ils pas déjà suffisamment détestés par le Vatican?

« Nous devrons faire preuve d'imagination sans quoi cet homme mourra. Si seulement nous étions plus nombreux! »

– Maintenant vous l'êtes! annonça une voix providentielle sur le pas de la porte.

Trois ombres se dessinaient au fond de la pièce.

– Paulo, je vous présente Lezardo Da Vinci! déclara Richard, aussi étonné que soulagé.

****

Le petit Sylvio pêchait là où le Tibre devient océan, sur la côte de Fiumicino. Le garçon de douze ans était devenu maître dans l'art d'attraper les poissons. Le vieux prosciutto de la mamma était un appât infaillible! Lorsque le soleil se coucha sur l'horizon, la mer devint soudainement agitée. Les reflets solaires sur les vagues donnaient l'impression d'une procession d'étoiles sur les flots. Quelle ne fut pas la surprise de Sylvio d'apercevoir une vive lueur sous l'eau. L'immense cercle lumineux d'une exceptionnelle beauté disparut après quelques secondes, et tout redevint normal.

Plus jamais il ne fumerait le tabac de son grand-père, se jura le garçon, convaincu d'avoir rêvé éveillé. Après être rentré au pas de course, il apprit que le tabac n'avait rien à voir avec sa vision. Bien réelle, celle-ci avait même fait s'échouer un bateau de pêcheurs plus haut sur la côte. Évidemment, le village se garda d'en parler, de peur d'être accusé de pactiser avec des forces occultes et démoniaques.

****

La tour de San Angelo, à deux pas de la place Saint-Pierre, servait à défendre le Saint-Siège depuis des générations. Cet ancien mausolée était devenu une redoutable forteresse qui abritait également la prison du Vatican où croupissaient Djiangorata et Ian le Lemming. La seule entrée du bâtiment étant gardée par des soldats, il était inutile de tenter d'investir les lieux par cette porte.

– Il faut entrer dans la tour, mais surtout pouvoir en sortir, dit Richard, fort préoccupé par ces deux défis.

– Devons-nous absolument entrer tous en même temps et en tant que chevaliers? questionna Augustin.

– Si seulement on pouvait accéder à la tour directement par le sommet! maugréa Charles le Balafré.

– C'est peut-être possible, formula Lezardo. Avez-vous du bois et de la toile?

Intrigués, tous le regardèrent.

Lezardo avait conçu un plan : il allait voler!

****

– Vous ne pouvez le ju… ju… juger. Vous igno… ignorez s'il s'agit en… en… en fait d'un hu… hu…hu… humain, émit timidement et non sans difficulté Benito Fantini, l'énorme bénédictin qui assurait la défense de Djiangorata.

Habituellement il s'exprimait aisément, mais dès qu'il était confronté à une situation préoccupante, il se mettait à bégayer. C'est d'ailleurs à la suite d'une demande en mariage qui lui avait fait perdre tout son honneur qu'il avait décidé d'entrer en communauté.

Après toutes ces années passées, il n'y avait pas une nuit où il ne rêvait pas à cette phrase désastreuse : « Voulez-vous m'é… m'é… m'é… m'é… pou… pou… pouser? »

– Si un animal tue un humain ou si un humain commet un meurtre, la mort est le châtiment prescrit par la loi! s'exclama Vulturio.

– Seriez-vous donc en mesure de mourir sept fois? ironisa Djiangorata.

– Qu'on bâillonne cet animal! hurla Vulturio. Il délire et ne fait que répéter maladroitement ce qui se dit ici! Que Dieu lui vienne en aide, termina-t-il, les tempes couvertes de sueur.

On convoqua Huberto Rivoli, un éminent anthropologue de l'Inquisition. Ce dernier expliqua :

– Malgré une apparence et des mœurs qui se rapprochent de ceux des humains, toute créature dépourvue de foi en Dieu ne peut se détacher de son stade animal et, par conséquent, élever son esprit. Malheureusement, le peu d'intelligence dont elle disposera ne servira qu'à assouvir de bas instincts comme la conquête, le meurtre, le viol et la profanation. Voici une fiole du poison qui aurait pu être utilisé par l'accusé. Si l'on n'éradique pas sur-le-champ cette menace, qui sait quelle quantité de ce fiel se retrouvera dans les assiettes des serviteurs de Dieu? Je recommande la mort pour cette bête, rien de moins.

– Ob… ob… objection! s'opposa Fantini. Ad… admettons qu'il ait empoi… empoi… empoisonné Da Vinci, com… com… comment a-t-il pu empoi… empoi… empoisonner tous les… les autres scien… scien… scientifiques?

– Nos enquêteurs nous ont appris que ces hommes de science se sont rencontrés secrètement à Venise le mois dernier, révéla Vulturio. C'est à ce moment que l'accusé a commis son crime.

– Votre description laisse croire que vous étiez à l'auberge vous aussi! répliqua sèchement Djiangorata.

– Balivernes! lança Vulturio. J'en ai assez des interventions de cet animal. Ce n'est qu'un pauvre perroquet incapable de réflexion! ajouta-t-il, de plus en plus nerveux.

Isolé dans sa corbeille, le pape remarqua que l'inquiétude semblait également gagner Nicolas dont les traits durcissaient.

Tout devenait clair en cette troisième journée de procès pour Léon X, Paulo et les chevaliers d'Avignon qui assistaient à ce cirque inquisitoire. Le souverain pontife se garda d'exprimer son dégoût, ayant une peur évidente des représailles de Machiavelli s'il passait dans le camp ennemi. Chose certaine, il devait faire libérer Djiangorata, le pauvre bouc émissaire de toute cette affaire.

Après trois heures de délibérations d'un jury acheté à l'avance, le greffier de la cour, un petit cardinal maigrichon, lut le verdict à voix haute :

– Le tribunal a décidé que ladite créature serait brûlée vive sur le toit de la tour San Angelo, demain, à la tombée du jour.

– Je suis dé… dé… désolé, chuchota Benito à Djiangorata.

L'indigène récita une phrase dans son dialecte : « L'injustice peut tromper les hommes mais jamais la vie… » Il termina en transperçant du regard Vulturio, qui sourit tout en se signant de la croix.

Le grand inquisiteur, craignant qu'Ian le Lemming en sache trop, recommanda la mort de celui-ci aux côtés de Djiangorata. Il n'eut aucune difficulté à obtenir l'accord du tribunal, qui estimait que cette bête humaine était sûrement le résultat d'une possession démoniaque de laquelle aucun exorcisme ne pourrait venir à bout.

– Tout ce procès m'a beaucoup fatigué, dit Léon X à Machiavelli. Je vais aller me reposer. Surtout, qu'on ne me dérange pas.

– À vos ordres, Votre Sainteté, dit Nicolas, triomphant.

Malgré ses chaînes aux pieds et aux mains, Djiangorata se sentait presque libéré du fardeau qu'était devenue sa vie, qui ressemblait à un cauchemar éveillé. Il prit tout de même le temps d'admirer l'architecture du Vatican, ses sculptures et ses fresques. « Tant de mal dans tant de beauté », songea-t-il.

En apprenant la nouvelle de sa condamnation, Ian ne broncha pas. Il se contenta d'émettre ce commentaire :

– Djiangorata, ce sera pour moi un honneur d'être exécuté à vos côtés... Dans l'Antiquité, il y a eu les martyrs de la foi. Nous, nous serons ceux de la science!

Il n'était cependant pas au bout de ses peines...

****

– Vous croyez vraiment pouvoir voler avec cet objet? demanda Charles à Lezardo qui avait taillé un morceau de bois sur lequel il tendait des toiles.

– Oui! Tout ce qu'il faut, c'est amorcer le vol d'une hauteur suffisante. Le vent et les ailes feront le reste. Tout est une question de portance. L'oiseau de toile et moi aurons besoin de vitesse. Nous nous envolerons du toit de l'église, mais nous n'aurons qu'une chance car nous nous écraserons en cas d'échec.

– Quand vous atteindrez le sommet de la tour, Lezardo, les autres et moi nous prendrons d'assaut les gardes, expliqua Richard. Ce qu'il faut, c'est que vous causiez suffisamment de grabuge pour faire diversion auprès des soldats qui iront vous rejoindre. Cela nous permettra de les surprendre à notre tour et de les attaquer. En cas d'échec de votre oiseau, une calèche vous attendra avec Paulo pour vous conduire le plus rapidement possible au lieu d'affrontement si vous n'êtes pas trop amoché, évidemment.

****

– Paulo, voici la clé qui contrôle la porte d'entrée de la tour, dit le bienfaiteur. Elle permet aussi de verrouiller les portes de chacun des niveaux. Faites-en bon usage. En vous la remettant, c'est ma propre vie que je mets en danger, confia-t-il en ôtant son masque dans le sombre confessionnal.

Paulo fut abasourdi. Le pape reprit :

– Vous devez garder le secret au sujet de mon identité. Je tenais à ce que vous sachiez qui j'étais afin que, s'il m'arrive quoi que ce soit, vous puissiez facilement trouver les responsables et, que Dieu me pardonne, vous leur donniez le châtiment qu'ils méritent. Vous savez, j'aimais profondément Da Vinci ainsi que ses collègues. Il est grand temps que l'humanité sorte de cette torpeur, de cette ignorance, de cette crainte de Dieu, lui qui n'est qu'amour et miséricorde. Et si le prix à payer pour cette évolution est ma propre vie, qu'il en soit ainsi!

– Votre Sainteté, je me montrerai à la hauteur des risques que vous prenez pour nous tous! s'écria Paulo d'un ton résolu.

****

– Quel est le nom du sorcier qui vous a jeté un sort? Allez, répondez! ordonna Vulturio à Ian dont le pelage blanc était maculé de sang.

– Je vous l'ai dit, cardinal : ce sont des créatures sous-marines, des sirènes… chuchota Ian qui espérait un sursis de la part de son tortionnaire.

– Mensonges! hurla Vulturio. Un indigène qui parle espagnol a déjà suffisamment causé de commotion à Rome. Vous aviez la chance de passer aux aveux et d'ainsi sauver votre âme! Demain soir, le souvenir de votre personne s'envolera en fumée, comme celui de cette autre bête, l'affreuse créature des ténèbres.

Puis il ordonna :

– Gardes, ramenez-le à sa cellule. Que son dernier souper sur cette terre soit le plus mauvais qu'il ait jamais eu!

Le fait de savoir sa mort imminente n'était rien comparativement au dégoût et à la peine que Djiangorata éprouva à la vue de son compagnon de cellule.

– Vous ne méritez pas un tel sort, mon ami, souffla-t-il. Nous mourrons en braves demain en souhaitant qu'il existe une justice au delà de ce bas monde.

– C'étaient des sirènes… des sirènes… murmura péniblement Ian, le visage tout ensanglanté.

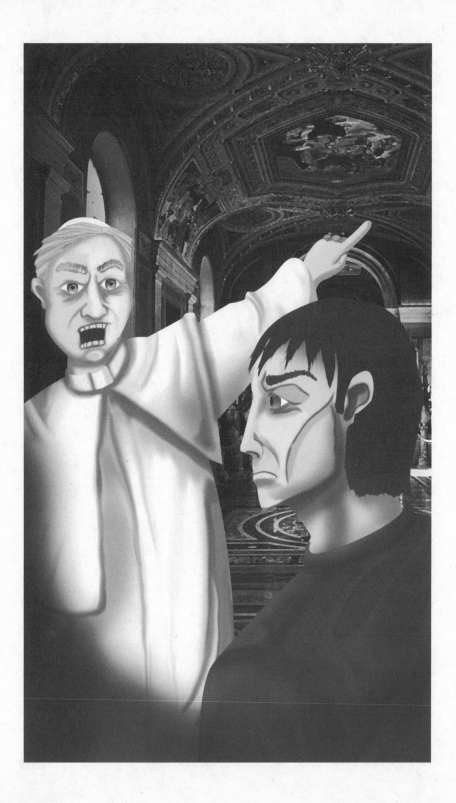

XIV

LA RÉVOLTE

JAMAIS UN PRÉLAT ne s'était trouvé dans un tel état de fureur. Cela faisait déjà un bon moment que Léon X et Machiavelli échangeaient. Ce dernier paraissait ébranlé, lui qui était toujours au-dessus de tout.

– Je ne veux pas en discuter davantage! lança Léon X. Vous serez relocalisé et occuperez d'autres fonctions, un point c'est tout! Et je connais votre petit manège, Nicolas, alors ne m'approchez pas. L'indigène ne sera pas exécuté! dit-il en reculant vers la fenêtre, soudain terrorisé par le regard de son interlocuteur.

– Oh oui, il le sera! rétorqua Machiavelli qui avait retrouvé toute son arrogance. Vous n'avez rien vu, Votre Sainteté, car les chevaux de mon carrousel ne se sont pas encore mis en marche… Vous finirez par entendre raison et réaliserez que c'est pour votre bien que j'agis ainsi… pour le bien du clergé et de la foi qu'il soutient!

Il assena une gifle terrible à Léon X qui tomba par terre. Machiavelli coucha dans son lit l'homme à demi conscient.

À sa sortie, Nicolas interpella les gardes suisses qui assuraient la sécurité des appartements du Saint-Père :

– Léon X est en proie à une fièvre délirante. N'ouvrez la porte de ses quartiers sous aucun prétexte d'ici à ce qu'un médecin soit venu l'ausculter. Ne révélez son état à personne. Il en va de la crédibilité et de l'avenir du Saint-Siège.

Totalement sous l'emprise magique du malfrat, les soldats obtempérèrent. Ils ignorèrent les cris de Léon X qui, après avoir repris ses esprits, ne cessa d'exiger en hurlant qu'on le libère de sa prison.

****

Michel était furieux. Éclairé par le foyer du presbytère de Santa Maria del Popolo, il jetait les dés sans arrêt mais demeurait incapable de prédire le résultat de ses lancers. C'est comme si un mince voile l'empêchait de voir clair, et ce, depuis sa rencontre avec Lezardo.

– Ce lézard est en train de gâcher ma vie. Me voilà incapable d'exercer mon don, le seul atout dans mon jeu, pauvre fainéant que je suis. Michel de Nostredame, tu es maintenant à la merci du hasard, cet inconnu que tu avais pourtant toujours dominé sans effort.

Il avait perdu aux dés, comme au jeu de la séduction, et était maintenant réduit au rôle de porteur d'eau et de chaperon pour un reptile et sa princesse. Avait-il atteint l'apogée de ses possibilités lorsqu'il travaillait pour Delagrave? Il commençait sérieusement à le penser. Jamais il ne serait célèbre. Jamais il ne serait le grand Nostradamus.

Pendant ce temps, dans l'entretoit du clocher de l'église, Lezardo mettait la dernière touche à sa machine volante sous les yeux admiratifs de Lydia. Il avait ébauché quelques croquis, calculé des mesures et taillé le tout avec adresse. Un énorme squelette ailé avait pris forme en quelques heures seulement. Lydia discernait maintenant les formes que Lezardo lui avait demandé de découper dans un mince tissu écru d'une grande légèreté. Si la vieille femme à moitié sourde qui l'avait tissé avait su que son travail habillerait un oiseau de bois et non une mariée, elle en aurait sûrement fait une syncope.

– Pourriez-vous tenir la toile ici, Lydia? demanda Lezardo qui tremblait chaque fois qu'il s'adressait à la jeune fille.

– Certainement! acquiesça-t-elle.

– Mais ne me regardez pas! Je dois enlever mes verres fumés car de cet angle, je n'y vois plus rien, dit-il, honteux de son apparence hideuse.

Il avait donc assemblé son aéronef difficilement, tel un semi voyant, de peur qu'elle n'aime pas ce regard qu'elle aurait pu découvrir.

Lydia accepta. Lezardo n'avait d'yeux que pour la tignasse châtaine qui se trouvait à seulement 20 centimètres de son visage. Il était obnubilé au point qu'il en échappa son marteau. Lydia et lui se précipitèrent vers l'outil et tombèrent face à face. Même s'il se sentait vulnérable parce que son visage était découvert, Lezardo ne pouvait cesser d'admirer la figure parfaite de cette jeune fille. Son subconscient était bercé par ces traits depuis le début de sa vie. Mais maintenant, la lueur qui se cachait derrière le regard de Lydia l'attirait davantage.

De son côté, Lydia n'éprouva qu'un léger instant de frayeur qui céda vite la place à une grande fascination. Elle était devant l'inconnu, cet instant de vérité qui séduit ou dégoûte. Les yeux rouge vif de Lezardo brillaient d'un éclat et d'une beauté remarquables.

– Pourquoi cachez-vous ces rubis? demanda-t-elle avec une désarmante sensualité tout en prenant la main de son compagnon.

– Ils sont vôtres si vous les aimez et n'auront de regard que pour vous, j'en fais le serment! lança Lezardo, craignant de s'être un peu trop avancé.

Lydia sourit avant d'embrasser Lezardo sur la joue. Puis elle quitta la pièce pour aller rejoindre Michel. Elle avait transpercé l'armure du reptile jusqu'au tréfonds de son âme...

****

Vulturio se demandait ce qui rendait le fin limier qu'était Nicolas aussi nerveux et prompt. C'est alors que ce dernier lui demanda :

– Être le prochain pape, ça vous plairait?

Vulturio s'étouffa littéralement avec le vin qu'il s'était fait offrir. Depuis son crime, il portait toujours une coupe à ses lèvres avec appréhension, surtout si elle venait de l'alter ego du Monarque.

– Léon X est un traître pour le christianisme, reprit Machiavelli. J'ai la preuve qu'il a protégé les hérétiques dans le seul but de semer le chaos. Il tente d'empêcher l'exécution de la bête du Nouveau Monde. Il est un des leurs. Il doit mourir aussi. Tel est le souhait du Monarque.

– Vous savez que j'obéis à ses ordres, Nicolas. Je ne décevrai pas le Monarque! Il m'a redonné la vie et m'a rapproché de Dieu, fit-il, obéissant comme un chien de garde.

– Assurez-vous que les deux animaux seront morts lorsque la lune se lèvera. Moi, je m'occuperai de ce faux prélat qu'est Léon X.

L'Ordre d'Adder était sur le point de prendre le contrôle total du Vatican. Il répandrait ensuite ses tentacules partout où se trouvaient des clochers. Ce serait le règne des sacrifices, des génocides et des conquêtes pour le seul bénéfice de cette force cosmique qui engendrait le mal au bénéfice de la cupidité et du pouvoir absolu.

« L'équilibre sera atteint grâce au peuple servile face à l'élite qui, elle, établira les règles d'un jeu qu'elle appellera… la démocratie. Une majorité de gens vivront en espérant le paradis à la fin de leurs jours pendant qu'Adder profitera de tous les plaisirs ici bas », se dit Machiavelli après avoir verrouillé la porte de sa chambre.

XV

LA MORT

L'ANGÉLUS DE SIX heures amorça le compte à rebours de la périlleuse mission de sauvetage. Tous les clochers de Rome chantaient à l'unisson et les fidèles rendaient hommage à la Sainte Vierge. Mais sept individus avaient d'autres préoccupations, dont celle de ramener Djiangorata sain et sauf.

Richard, Charles et Augustin partirent à pied tandis que Lydia et Michel aidaient Lezardo à s'installer sur le toit de l'église. Si le décollage s'avérait un échec, les trois complices fileraient avec Paulo à bord de sa diligence, à condition bien sûr que Lezardo n'ait rien de cassé.

Comme si la nature choisissait ses héros, le vent se leva et devint un allié de taille pour l'aéronef de Lezardo. Ce dernier avait matérialisé ce que son créateur avait ébauché sur un croquis. Il avait dépassé le maître, ou plutôt repris le flambeau, lui qui était jeune et vigoureux, parvenant à donner vie à ce dessin créé par un maître vieillissant. Cette réalisation conférait un sens, une originalité à sa vie. Il poursuivait l'œuvre du Maestro, devenait son extension, sa deuxième chance.

Michel monta jusqu'au porche du clocher, mais sa peur des hauteurs l'empêcha d'aller plus loin. Il voyait avec frustration sa chance de conquérir Lydia lui glisser entre les doigts. Par contre, celui qui collectionnait les conquêtes sans aucun scrupule n'était pas insensible à la véracité des sentiments qui animaient ses deux compagnons. N'avait-il pas sous-estimé son rival, l'écartant d'office à cause de son apparence?

Il n'y avait plus que Lydia et Lezardo sur le toit du temple sacré.

– Vous faites preuve de courage, Lezardo Da Vinci, dit la jeune femme. Vous êtes un grand chevalier et... j'aimerais marcher pour toujours à vos côtés, avoua-t-elle, les joues rouges.

– Mais Michel n'est-il pas l'élu de votre cœur?

– Michel privilégiera toujours ses intérêts au détriment de ceux de ses amis. Une vie, comme un amour, se bâtit sur des piliers de roc et non sur le sable qui s'éparpille à tout vent.

Lydia prit le bras de Lezardo et, de son autre main, elle baissa le foulard qui masquait le bas du visage du reptile maintenant prisonnier de son aéronef. Elle l'embrassa timidement.

– Chevalier, je vous aime, déclara-t-elle. Je vous retrouverai sur le toit de la tour, ajouta-t-elle avant de retirer lentement sa main posée sur celle de Lezardo comme si elle aurait voulu que cet instant dure toute l'éternité.

Le temps s'était arrêté pour Lezardo. Quelqu'un l'aimait. Il n'en revenait pas. Survolté par ce baiser, il prit une grande respiration. Il s'élança dans le vide et battit des ailes de toutes ses forces. Après une inquiétante descente, l'engin prit son envol et réussit à prendre une certaine altitude. Rome était magnifique! Lezardo pouvait apercevoir les passants qui croyaient être sous l'emprise d'une hallucination. Les ailes battaient de plus en plus fort. Au loin, le pilote apercevait des torches au sommet de la tour San Angelo. Celles-ci serviraient à embraser le bûcher des condamnés à mort.

– Dépêchez-vous! cria Lydia à Michel.

De Nostredame ne savait que trop bien ce qui venait de se passer. Il eut envie de tout abandonner à l'instant. Mais cette pensée le dégoûta et il prit son courage à deux mains. Il marcha d'un pas décidé vers celle qu'il n'avait su conquérir.

****

Les chevaliers d'Avignon étaient rendus à destination. Le calme des ruelles contrastait avec ce qui, de toute évidence, serait une dure et violente confrontation.

– Essayez de faire le moins de dégâts possible, ordonna Richard à ses deux subordonnés à quelques mètres de la tour San Angelo.

Il était sûr qu'Augustin suivrait les consignes à la lettre mais que Charles n'écouterait que son instinct. Pendant le trajet, les trois hommes avaient fait un arrêt à l'abbaye des Bénédictins afin « d'empêcher » les trois moines chargés de donner les derniers sacrements aux condamnés à morts d'exécuter leur tâche. Ainsi donc, trois chevaliers d'Avignon se camouflaient sous les habits sacerdotaux marron. Pour sa part, Charles était heureux d'avoir un énorme chapelet de bois autour de sa taille : il se demandait qui il aurait le plaisir d'étrangler avec cette arme improvisée.

– Halte-là! hurla le garde posté devant la porte. Qui êtes-vous?

– Nous sommes les gardiens de la foi chargés de préparer les condamnés pour le grand voyage, mon fils, expliqua Richard. Et que Dieu vous bénisse!

Le garde, ne se doutant de rien, commit une erreur magistrale en laissant les visiteurs franchir le seuil. Quand il tourna le dos, Charles l'assomma d'un coup à la nuque. Le compagnon du garde n'eut pas la même chance; il hérita d'un effroyable coup en plein visage qui, en plus de le rendre inconscient, lui fit perdre plusieurs dents. Richard et ses compagnons montèrent les marches prestement.

****

Une vue superbe de Rome s'offrait aux condamnés. Cela représentait toutefois une bien mince consolation face au funeste destin qui les attendait. L'odeur de la paille humide faisait croire que celle-ci prendrait du temps à s'embraser

«De toute manière, le sort en est jeté», songea Djiangorata.

– J'ai peur, mon ami, avoua Ian.

– Après avoir côtoyé la bêtise humaine, la mort me semble bien plus accueillante, répliqua son compagnon. Ce sera un dur moment à passer, certes, mais nous avons au moins la certitude que ce sera le dernier en compagnie de ces barbares, chuchota-t-il en apercevant Vulturio qui s'amenait, l'air ravi.

– Le bûcher est maintenant votre demeure, scélérats! Vous voilà devant Rome à qui vous rendrez vos derniers comptes. Que Dieu vous pardonne!

– Malheur à toi, Vulturio! cria Djiangorata. Tu n'as rien à envier à la pire des vipères. Un jour, quand tu t'y attendras le moins, la vérité l'emportera sur tes mensonges. À ce moment, tu paieras le prix de tes péchés!

****

L'énorme porte verrouillée à double tour, Machiavelli s'était enfermé dans ses quartiers, comme il le faisait chaque fois que le Grand Monarque se manifestait. Il ouvrit une étroite boîte de bois rangée sous son lit de laquelle il sortit un long sceptre doré au motif de peau de serpent. À sa pointe, l'arme portait la pierre d'Adder, incrustée dans la bouche du reptile et retenue grâce à quatre crocs. Dès que Nicolas touchait au sceptre, les yeux du serpent rougissaient, comme si la bête s'animait. L'homme les regarda avec joie et soumission, sachant qu'il en retirerait le pouvoir d'anéantir toute menace. Machiavelli se coucha, les bras croisés, le sceptre reposant sur sa poitrine. Il récita une incantation.

– Adder, puissance des ténèbres, qui fait le bien par le mal, puise dans tout mon être et que naisse l'animal! Qu'il contrôle les esprits de tous les vivants. Qu'il règne à tout prix jusqu'à la nuit des temps!

Couvert de sueur, Machiavelli était en transe. Soudainement, son corps sembla se dédoubler et une silhouette vêtue d'une tunique noire émergea. Elle se dressa devant le crépuscule, laissant Nicolas immobile et d'une blancheur terrifiante. La victoire totale d'Adder était à portée de main et le Grand Monarque ne manquerait l'événement pour rien au monde. Il se rendit au balcon et sembla se dématérialiser avant de traverser le mur. Il s'éleva vers le ciel dans lequel apparut brusquement un énorme nuage noir. Le Monarque se doutait que quelque chose ne se passait pas comme prévu. Il se sentait en danger mais peu lui importait d'être vu par tous, car rien ne devait empêcher la mort de Djiangorata.

****

Lezardo ne se trouvait qu'à quelques centaines de mètres de son objectif lorsque le vent forcit. Il serra les guides de son appareil de toutes ses forces afin de ne pas se faire embrocher par un clocher qui était un peu plus bas.

Le ciel était sombre et le vent se déchaînait, mais Lezardo gardait le cap tout en actionnant vigoureusement les ailes de son planeur. Un détail le turlupinait : comment allait-il atterrir? Son envolée avait épaté Lydia, mais il espérait de tout cœur qu'elle ne serait pas témoin de son arrivée.

****

Michel supplia ses compagnons jusqu'à leur arrivée à la tour :

– N'y allez pas! Je ne peux vous dire ce qu'il en est mais, de grâce, n'y allez pas!

Les images commençaient à se préciser dans sa tête et ce qui se tramait n'avait rien de rassurant. Lydia était visiblement irritée par le comportement du jeune homme.

– Michel, allez-vous encore vous soustraire à votre devoir? Quelle sera votre excuse cette fois? Ayez donc un peu de courage, pour l'amour de Dieu!

Mais de Nostredame était vraiment sincère. Ses dons lui revenaient peu à peu et il avait la certitude que quelque chose de terrible allait se produire. Jamais il n'avait ressenti un tel désarroi face au futur. Il savait que la mort rôdait.

Il n'y avait plus de gardiens à l'entrée de la tour, ainsi que l'espérait Lydia. La voie était libre; la tâche de Michel et de sa complice consistait à prêter main-forte à Richard, mais surtout à préparer la sortie du groupe en verrouillant les portes et en installant des cordes qui permettraient de s'échapper par les rares fenêtres de la prison de San Angelo.

Michel se sentit devenir claustrophobe après le verrouillage de la première porte.

– Je ne me sens pas bien… dit-il, le teint aussi livide que la lune au loin.

Les corridors et les escaliers étaient jonchés de cadavres de soldats, gracieuseté de Charles le Balafré.

– Montez Michel! commanda Lydia. J'ai des robes au couvent qui ne me servent plus. Je crois qu'elles vous iraient à merveille.

Cela insulta Michel. « Coûte que coûte, j'arriverai à mener à bien ma mission! » se dit il.

Une fois les cordes installées, ils filèrent en douce jusqu'au dernier escalier, marchant comme des félins attendant le bon moment pour cerner leur proie.

****

Les trois faux moines avaient le visage couvert, leurs cagoules représentant un camouflage idéal. Ils marchaient en direction des condamnés tout en calculant le nombre de soldats à neutraliser. Ils attendaient avec impatience l'arrivée de Lezardo.

– Offrez les derniers sacrements à ces immondes créatures, que l'on mette un terme à cette fumisterie! ordonna Vulturio qui savait fort bien qu'un risque persisterait aussi longtemps que Djiangorata serait vivant.

Augustin, qui avait toujours eu un faible pour le théâtre, s'exécuta, récitant un nombre interminable de Je vous salue Marie au désespoir de Vulturio.

Le ciel était inondé de nuages noirs, comme si un incendie faisait rage au sol. Même si le soleil était couché, l'atmosphère était teintée de rouge. La crainte s'empara des gardes les moins courageux.

– On croirait le feu d'un dragon! cria l'un des gardes.

– Mais… mais c'est un dragon! hurla de terreur un autre soldat en apercevant la silhouette ailée qui fonçait sur le sommet de la tour.

Même les plus forts et les plus courageux furent médusés. Avant que quiconque ait le temps de réagir, Lezardo sauta de son planeur et atterrit avec fracas sur le toit de la tour. Il se releva rapidement, puis il regarda avec haine le cardinal.

– Vulturio, espèce d'assassin, libérez ces innocents! ordonna-t-il.

Le cardinal n'en croyait pas ses yeux. Il avait l'élu devant lui.

– Vous êtes la créature de l'indigène!

Tout se mettait en place pour Vulturio. Lezardo était devenu l'homme à abattre. Djiangorata était bouche bée, fasciné par l'étrange mais ô combien formidable résultat de son expérience associée à celle du Maestro.

– Tuez-le, c'est un ordre! hurla Vulturio aux gardes.

Ceux-ci n'eurent pas le temps de s'approcher de Lezardo car les trois moines enlevèrent leur soutane, arborant fièrement leurs capes pourpres aux couleurs des chevaliers d'Avignon. Ils étaient 4 contre 12 soldats. Le combat débuta avec le cri de guerrier lancé par Charles le Balafré. Ce dernier s'amusait toujours de la réaction des novices du combat, terrifiés par son hurlement. Les chevaliers, dos à dos, étaient encerclés par l'ennemi. Vulturio en profita pour prendre une torche et allumer le bûcher. Il se mit ensuite en retrait, convaincu de la victoire des gardes suisses.

– Vous deux, le sale indigène et la petite peste poilue, crevez et brûlez en enfer! vociféra-t-il. Ce soir, vous avez perdu.

À la vue des flammes, Lydia bondit de sa tanière sous le regard effrayé de Michel. D'un coup, elle embrocha le premier garde venu. Elle n'avait rien à envier à tous les hommes présents tant elle combattait avec ardeur et agilité. Elle fit une autre victime et alla détacher les deux condamnés.

Ian se mit aussitôt à parler :

– Mais qui, grand Dieu, pourra croire une telle histoire? Je m'appelle Ian le Lemming et je suis un inventeur venu de Scandinavie. Je…

– Taisez-vous et suivez-moi, étrange petite peluche, coupa Lydia, se demandant comment un être vivant pouvait être aussi joyeux après avoir frôlé la mort.

Les deux groupes luttaient maintenant presque à armes égales, les gardes n'étant visiblement pas à la hauteur. Vulturio, fort contrarié, ramassa discrètement l'épée d'un macchabée et suivit Lydia et les deux évadés.

L'escalier en colimaçon donnait le mal de mer à Djiangorata. Tout se passait à une vitesse vertigineuse. Cependant, l'instinct de survie dominait et il se comptait fort chanceux de ne pas avoir péri sur le bûcher. Et ce n'était rien comparativement au vertige dont il souffrait, suspendu à une corde… Pour sa part, Ian se demandait de combien son poids augmentait selon sa vitesse de descente. Pour lui, tout était prétexte à accroître son savoir.

– Une fois en bas, nous traverserons le pont San Angelo où nous attendra la diligence de Paulo, dit Lydia qui cherchait du regard Michel.

Ce dernier n'était pas là. Blotti derrière le bûcher, il observait le ciel, terrorisé. Le nuage noir tourbillonnait au-dessus de la tour comme s'il allait avaler tout ce qui se trouvait sous lui. Les belligérants arrêtèrent de se battre en voyant la menace; le danger que celle-ci représentait se situait bien au delà de ce qu'ils pouvaient imaginer.

Le nuage devint solide, laissant apparaître une silhouette vêtue d'une cape noire ornée de rouge. L'être mesurait près de trois mètres. Il descendit doucement à hauteur d'homme. Quand il identifia Lezardo, il comprit à son tour qu'il s'agissait de l'élu.

– Je suis le Grand Monarque. Vous, le sale reptile, vous êtes… mort!

Les soldats prirent la fuite. Il ne restait plus que les trois chevaliers et Lezardo pour affronter la créature des ombres, soit Adder lui-même.

Quand le Monarque ouvrit sa cape, quatre bras armés chacun d'une épée en sortirent. Lezardo ramassa une arme supplémentaire au sol. Le combat commença. Le reptile n'avait jamais connu de peur réelle jusqu'à ce jour, mais le Monarque faisait partie d'un monde inconnu que même le Maestro n'aurait pu imaginer.

Charles le Balafré s'approcha le premier. Toutefois, tout comme Augustin et Richard, dès qu'il croisa le regard du Monarque, il paralysa complètement. Lezardo affronta donc seul son redoutable adversaire.

– À nous deux, sale bête! Adder triomphera cette nuit et régnera pour toujours sur la terre!

Les épées s'entrechoquèrent. Lezardo fut vite débordé. Il résista, portant même un coup qui déchira une partie du manteau de son adversaire. Le Monarque était surpris de la force et de la rapidité du reptile, mais il réussit cependant à le dépouiller de l'une de ses deux armes.

Lezardo porta l'assaut final. Il assena un coup de queue au visage de son opposant tout en tranchant l'une de ses quatre mains. Le Monarque hurla si fort qu'on crut à la fin des temps.

****

À bout de ressources, le pape s'empara d'un vieux chandelier de fer forgé. Au troisième coup qu'il donna sur le verrou, celui-ci sauta. Léon X était libre.

Il s'adressa aux gardes sur un ton furieux :

– Si vous ne voulez pas finir comme cette porte, vous avez intérêt à m'écouter!

Son regard était aussi perçant que le soleil que l'on a observé trop longtemps. Les gardes n'eurent d'autre choix que d'obtempérer.

– Aux quartiers de Machiavelli, et que ça saute! La vie de plusieurs personnes est en jeu!

Léon X et ses deux gardes couraient dans les corridors du Vatican sous le regard médusé des religieuses et des jeunes frères recueillis pour la prière du soir. On n'avait jamais vu un pape galoper de la sorte, la soutane relevée afin de ne pas trébucher.

Il ne restait qu'un corridor à parcourir et Léon X se retrouverait devant son ennemi. « Machiavelli, vous me paierez votre trahison! Votre heure a sonné, vulgaire vipère! »

****

Prêt à partir, Paulo attendait ses passagers un peu plus loin.

– Filez jusqu'à la diligence! ordonna Lydia aux deux évadés.

Courant de toutes ses forces, Djiangorata reconnut le visage souriant de Paulo. Il en ressentit un bien-être immédiat. Soudainement, Ian ralentit la cadence. Après tout, il ne connaissait pas le cocher.

– Dépêchez-vous, Ian! dit l'indigène. Paulo est un ami, n'ayez aucune crainte.

Ils se réfugièrent dans la diligence. Pour sa part, Lydia retourna vers la tour, préoccupée par ce qui se déroulait en haut de celle-ci et surtout, par le sort qui attendait son bien-aimé. Elle fut soudainement interpellée par une sinistre voix.

– Où allez-vous ainsi, jeune fille? dit Vulturio, assoiffé de vengeance.

Posté au centre du pont San Angelo, le cardinal n'avait pas l'intention de laisser Lydia filer.

Sûre d'elle, la cavalière sortit son épée.

– Vous semblez bien sûr de vous, pauvre escroc! lança-t-elle avec arrogance.

Lydia essuya cependant une attaque violente. Elle se demanda comment un religieux pouvait être aussi habile au combat. Il possédait l'agilité d'un chevalier et une force surprenante.

Le cardinal n'avait pas eu souvent l'occasion de croiser le fer avec un adversaire aussi adroit. Il devait remonter à l'époque où il était un jeune soldat pour établir une comparaison. Les ripostes de la jeune femme venaient de toutes parts et elle ne semblait jamais être à bout de souffle.

– Je ne sais pas d'où vous venez, jeune fille, mais vous méritez tout mon respect pour votre entêtement à mourir dignement.

– Je crois plutôt que vous parlez de vous, imbécile! dit Lydia en éraflant le bord de la joue de son opposant de laquelle jaillit un éclat sanglant.

****

Lezardo venait de recevoir un autre coup de poing. Il s'écroula. Il avait mis toute son énergie dans cet affrontement et sentait ses forces le quitter. Le Monarque posa ses épées sur le reptile. Celui-ci craignait le pire. Son ennemi avait lui aussi les yeux rouges, mais ils portaient la marque d'un effroyable démon.

Le Monarque observa avec curiosité cet être venu de nulle part qu'était Lezardo Da Vinci.

****

– Ouvrez, abominable traître! hurla Léon X en arrivant dans les quartiers de Machiavelli. Je vous excommunie sur-le-champ!

Les gardes frappèrent vigoureusement à la porte.

– Mais défoncez-la, bande d'incapables! vociféra le pape.

Les coups incessants commençaient à fissurer la cloison qui offrait cependant beaucoup de résistance. Le tintamarre résonnait de plus en plus fort aux oreilles de Machiavelli, toujours en transe. Lentement, celui-ci reprit des couleurs. Quand les pierres du sceptre d'Adder rougirent, Machiavelli ouvrit les yeux.

****

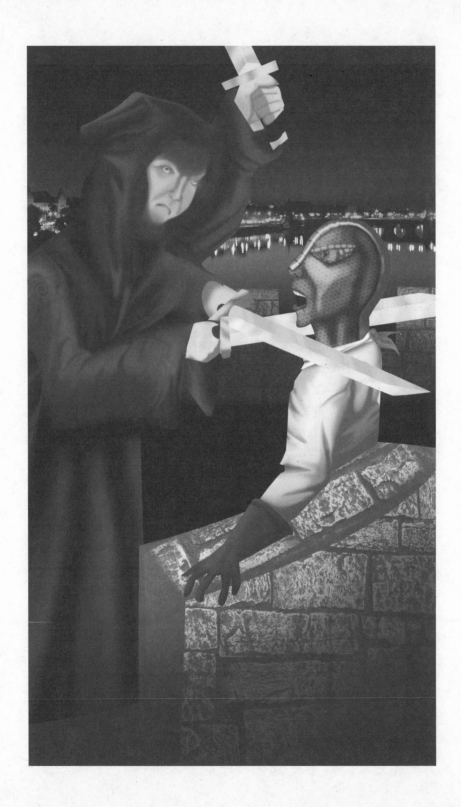

Le Monarque savourait sa victoire.

– La prophétie n'est qu'un mensonge, le lézard! Voyons si ta peau résistera à mon épée! Regarde-moi bien car ce sera la dernière chose que tu verras de ton vivant avant de sombrer dans...

Un énorme cri de détresse se fit entendre et le sol de pierres sur lequel Lezardo reposait se mit à trembler. Le regard du Monarque devint flou tout comme son visage. Le cri retentit encore plus fort la deuxième fois.

Le Monarque s'évapora. Il disparut complètement, comme s'il n'avait jamais existé. Le vent tomba et la lune réapparut. Les trois chevaliers tombèrent sur le sol, content d'avoir retrouvé leurs sens.

Seules les deux épées qui reposaient sur la gorge de Lezardo témoignaient du passage du Monarque. L'homme-lézard poussa un soupir de soulagement.

****

La porte vola en éclats. Les soldats et Léon X entrèrent. Mais quelle ne fut pas leur surprise de découvrir une chambre vide. Machiavelli s'était enfui. Mais comment diable avait-il fait?

– Nous ne lui mettrons pas le grappin dessus ce soir, mais le seul fait qu'il ait quitté les lieux constitue une immense consolation pour moi et pour l'Église, dit le prélat, épuisé par cette interminable journée.

Armé d'une torche, Machiavelli arpentait les couloirs secrets du Vatican, contrarié mais heureux d'être encore en vie. Tenant sa boîte de bois contre lui, il jura de se venger. Une fois arrivé au bout du sombre corridor qui débouchait sur une ruelle tout aussi noire, il retrouva son cocher. Celui-ci était prêt à conduire son maître où il lui commanderait de se rendre. Il s'agirait d'un aller simple qui mènerait les deux hommes vers une destination encore inconnue.

«Pourquoi pas une île…?» songea Machiavelli.

****

Richard aida Lezardo à se lever. Il le regardait avec la fierté qu'un père a pour son fils. Lezardo avait fait preuve d'un immense courage. Il était entré dans la légende dès sa première bataille.

– Venez, jeune homme. Vous êtes maintenant chevalier, vous faites partie des nôtres.

Michel hurla alors de toutes ses forces :

– Elle a rendez-vous avec la mort! Trouvez-la! Un crime innommable se prépare!

Ce dernier, toujours caché derrière le bûcher, tremblait. Il voguait entre la transe et le délire. Il avait enfin retrouvé ses pouvoirs.

Lezardo aperçut Lydia sur le pont, en plein combat. Il n'y avait pas une minute à perdre. Il attrapa la corde qui s'échappait d'une fenêtre de la tour. L'atterrissage de Lezardo fut très dur, mais aucune souffrance ne l'empêcherait de sauver sa bien-aimée.

****

Lydia fut dérangée par les cris de Lezardo qui accourait. Elle eut un moment d'inattention dont Vulturio profita. Il ne pouvait s'empêcher de fixer les yeux de la jeune fille. Son regard lui rappelait à la fois sa jeunesse et le fait qu'il avait déjà été quelqu'un d'autre.

– Vous êtes habile mais trop distraite, jeune effrontée! lança Vulturio qui, d'un coup d'épée, désarma Lydia tout en déchirant son chemisier.

Sans réfléchir, obéissant à son instinct, comme un oiseau de proie, le cardinal transperça la poitrine de la jeune fille, tout juste où elle avait une tache de naissance, la même que sa mère.

Vulturio était médusé. Les images se bousculaient dans sa tête. L'accouchement, la mort de sa femme, la naissance de son enfant... Il venait de reconnaître Lydia. Il lui avait légué son habileté à manier l'épée tout comme son bouillant caractère. Vulturio venait d'assassiner sa propre fille.

– Lydia! Ma fille, mon enfant, mon propre sang! Mon Dieu, mais qu'ai-je donc fait?

La jeune fille sentait sa vie lui filer entre les doigts. Même si elle avait dû payer de sa propre existence pour connaître son père, elle acceptait son sort. Elle éprouvait une certaine satisfaction d'enfin savoir. Elle reconnut le regard aimant d'un père qu'elle n'avait jamais connu et vit celui de Lezardo qui arrivait trop tard. Lezardo, l'homme qui ne serait jamais sien.

– Je t'aime, Lezardo, souffla Lydia avec toute la sincérité d'un mourant qui avoue ses plus profonds sentiments.

La jeune fille expira. Son corps tomba dans le fleuve; l'eau noircie par l'obscurité l'engloutit rapidement.

Soudain, un étrange phénomène se produisit. Une lumière sous l'eau apparut au loin. Une lumière vive qui, comme une étoile filante, s'approcha avant de s'éloigner le long du Tibre. Elle alla se perdre à l'horizon à une vitesse indescriptible.

Défait, Vulturio murmura :

– Mon Dieu, je ne t'ai pas cru. Je ne t'ai pas accepté. J'ai voulu dominer l'homme par le mystère en le gardant entier, nourrissant ainsi le peuple d'ignorance et de peur. J'ai voulu usurper le pouvoir et imposer ma loi à travers toi. J'ai refusé de voir la vérité et elle a pris sa revanche sur moi, elle m'a totalement dépossédé. Je voulais tout et j'ai tout perdu. Je t'offre ma vie en pénitence. Et ne me pardonne pas, je t'en supplie. Ne me pardonne jamais.

Vulturio enfonça un poignard dans son thorax. Le regard inondé de larmes et terrorisé par le monstre qu'il était devenu, il s'écroula sans vie sur le sol.

Lezardo s'agenouilla, pleurant sa bien-aimée. Il leva les yeux au ciel et hurla sa rage.

– Lève-toi, Lezardo, dit Richard d'un ton autoritaire mais le cœur rempli de compassion. L'ennemi est encore debout et nous devrons le traquer sans merci.

Le chevalier détourna son visage afin que son apprenti ne puisse pas voir ses yeux rougis. Mais le chevalier d'Avignon était fasciné par ce que le jeune reptile avait accompli en si peu de temps. Il reprit :

– Je ne t'abandonnerai jamais et je pleure Lydia tout comme toi. En plus, je suis dévasté par ta propre souffrance. Tu ne méritais pas une telle destinée.

Abattu, Lezardo finit par se lever. Les trois chevaliers et lui marchèrent jusqu'à l'église Santa Maria del Popolo. Même Charles avait la gorge nouée, lui qui en avait pourtant vu d'autres lors de ses nombreuses aventures. Pour sa part, Augustin pleurait sans aucune retenue, n'ayant pas peur d'afficher sa sensibilité – comportement qui révoltait les plus vieux chevaliers.

Lezardo prenait maintenant la pleine mesure de l'immense peine qui l'habiterait chaque jour de sa vie. Sa seule consolation pour le moment était qu'il allait enfin rencontrer Djiangorata, son véritable créateur. Et il verrait aussi le lemming avec qui il aurait des affinités, probablement le seul être vivant pouvant pleinement le comprendre parce qu'il portait aussi l'homme et l'animal en lui.

Michel attendit d'être seul pour sortir de sa cachette. Il se sentait responsable de la mort de Lydia, car il n'avait pas vu sa funeste destinée plus tôt. Il rentra en France, se maudissant pour son manque de courage et son inaction. Mystérieusement puni par le sort, il ne vit ensuite que les catastrophes et les drames, incapable d'utiliser ses dons à son propre profit. Il ne s'en plaignit jamais, considérant que tel était son châtiment.

XVI

L'AVENIR A BESOIN D'UN LÉZARD

UNE SEMAINE S'ÉTAIT écoulée depuis les incidents quand Paulo convoqua tout le monde dans le réfectoire désert du presbytère de Santa Maria del Popolo.

L'aubergiste était fasciné de voir Djiangorata, Ian et Lezardo échanger sur leurs connaissances. Il voyait en eux les héritiers de la véritable révolution qu'était la Renaissance. Il sentait que la quête du savoir ne s'arrêterait jamais, quoi qu'il arrive, et qu'il y aurait toujours des êtres pour reprendre le flambeau. Cette insatiable soif de savoir et d'évolution était plus forte que les institutions et prenait plus que jamais sa place dans la nature même de l'homme.

– Mes amis, j'ai parlé au bienfaiteur et il accepte de nous offrir sa protection. Vous viendrez donc avec moi à Venise où vous établirez vos quartiers dans l'ancienne salle des sages. Adder constituera une menace tant qu'il ne sera pas neutralisé. Et vous, chers chevaliers d'Avignon, je crois qu'il est temps que vous repreniez du service. Il vous faut traquer cet ordre maléfique avec Lezardo Da Vinci! Mais toi, le fils spirituel du Maestro, es-tu prêt à mener cette mission?

Lezardo se leva. La gorge nouée, il répondit :

– Au nom de la connaissance, de tous ces scientifiques qui ont payé de leur vie et pour Lydia, le seul être que j'ai aimé et à qui je resterai toujours fidèle afin que son sacrifice n'ait pas été vain, je traquerai Adder jusqu'à sa destruction totale!

Lezardo avait compris son rôle. Il était l'élu et allait consacrer son existence à sauver l'humanité du péril que représentait Adder.

Les chevaliers se levèrent. Après avoir sorti leurs épées, ils crièrent tous d'une seule voix : « *Spes in fides, pacis in verum!* »

ÉPILOGUE

LA PLUIE LANÇAIT ses attaques incessantes sur l'immuable Tour de Londres qui, comme les sujets d'Angleterre, affichait une résistance presque aristocratique face à ce torrent venu du ciel. Dans un des bâtiments, Henri VIII, souverain du royaume, était comme envoûté par son nouveau conseiller. Cet Italien était brillant. Comment Léon X avait-il pu s'en départir? Le roi observait la Tamise par la fenêtre, déchiré par un dilemme qui le tenaillait depuis fort longtemps. Il n'avait pas d'héritier; ses tentatives d'avoir une progéniture viable avaient jusqu'alors échouées. Devait-il renier son épouse? Comment ne pas s'attirer les foudres de Léon X dans une telle éventualité?

– Et que feriez-vous, Nicolas? demanda-t-il, l'air songeur.

– Mon bon roi, pour pouvoir répudier votre femme et prendre l'épouse qu'il vous plaira, il vous faudra entrer dans les bonnes grâces du pape. L'Angleterre n'a que faire de Rome et de ses prélats, mais entrer en conflit avec ceux-ci ne vous apportera rien de bon. Pourquoi ne pas déclarer la guerre et partir en croisade contre le germanique Martin Luther, ce protestant hérétique? En guise de remerciement pour votre loyauté, le pape ne pourra qu'accéder à vos demandes.

– Si vous le dites, Nicolas…

185

Pour tout savoir sur Lezardo Da Vinci :
www.lezardodavinci.com